VUUR

Anke Kranendonk

Vuur

De auteur ontving voor dit boek een werkbeurs
van de Stichting Fonds voor de Letteren

Omslag: Leentje van Wirdum

Nederlandse rechten Lemniscaat b.v. Rotterdam 2010

ISBN 978 90 477 0248 1

Druk en bindwerk: Hooiberg | Haasbeek, Meppel

Dit boek is gedrukt op milieuvriendelijk, chloorvrij gebleekt en verouderingsbestendig papier en geproduceerd in de Benelux, waardoor onnodig en milieuverontreinigend transport is vermeden.

1 Gooien

‘Morgen ben ik helemaal nieuw,’ zeg ik tegen mijn vader. We zitten allebei op een krukje in onze lege keuken. In de vakantie zijn we verhuisd. Maar dit huis is nog lang niet af. De keuken is oud en kaal, en in de muren van de kamer zitten gaten. Die maakt mijn vader dicht en ik help. Hoe harder we werken, hoe sneller alles klaar is en alle spullen op hun plek kunnen staan. Net als in het oude huis.

‘Ja,’ antwoordt mijn vader. ‘Morgen ben jij een nieuwe jongen op een nieuwe school, samen met je broer. Vind je het spannend?’

Ik knik.

‘Dat snap ik best,’ zegt mijn pa. Hij neemt een grote hap van zijn appel. Ik duw het laatste stuk van de banaan in mijn mond. De schil gooi ik in een plastic zakje, want een vuilnisemmer hebben we nog niet.

Boven hoor ik mijn moeder lopen; ze is dozen aan het uitpakken. De slaapkamers zijn al ingeruimd. Daan en ik hebben allebei een eigen kamer, maar dat vinden we nog niet leuk. Voorlopig slaap ik bij hem, net als in het oude huis. Nu is Daan naar zijn oude vriend, aan de andere kant van de stad.

‘Weet je nog hoe je juf eruitziet?’

Ik trek mijn schouders op. Voor de vakantie zijn we een keer gaan kijken. Toen was iedereen aardig.

‘Ik hoop dat ik vrienden krijg,’ zeg ik.

'Vast hele goeie,' antwoordt mijn vader. 'Kom, we gaan aan de slag.'

Er ligt plastic in de hele kamer, om de houten vloer niet te beschadigen. Het ritselt lekker.

Bij de schoorsteen zitten nog gaten; die mag ik dichtmaken met gips. Mijn vader doet het nog een keer voor: hij schept het witte spul uit een heel grote emmer en plakt het tegen de muur. Met een lange liniaal veegt hij eroverheen, zodat het gips spiegelglad wordt. Ik zie de spierballen in zijn bovenarmen trillen.

'Zo doe je dat dus,' zegt mijn vader. 'Hoe gladder, hoe mooier.'

Heb ik ook spierballen? Eens kijken. Van mijn hand maak ik een vuist, dan buig ik mijn elleboog en zie mijn arm dik worden. Een spierbal! Alleen trilt hij niet. Hoe krijg ik een trillende spierbal?

'Nu ik!' roep ik.

Mijn vader wrijft met zijn hand over de muur boven de schoorsteen. Hij zit onder de witte klodders en hij is hartstikke blij. Van een gladde muur word je vrolijk!

Met een platte schep schraap ik een klodder gips uit de grote ronde kuip. Ik kwak het tegen de muur – het glijdt meteen naar beneden. Ik zak op mijn knieën om het spul met mijn handen op te vangen en het omhoog te trekken.

'Dat hoort er allemaal bij,' zegt mijn vader.

'Wat?' vraag ik, terwijl ik dat gips een beetje goed over de muur verdeel.

'Dat het naar beneden zakt en je onderaan een grote bult krijgt.'

Ik geef geen antwoord. Eerst moet het gips goed verdeeld zijn en daarna moet ik het gladstrijken met de lange liniaal. Ik sta op om het grote ding te pakken en geef mijn vader bijna een oplawaai.

'Hola!' roept hij. 'Uitkijken, stukadoor!'

Ik duw de liniaal tegen de muur en trek hem langzaam omhoog. Er komen rare strepen door het gips, het wordt helemaal niet mooi glad.

'Ik kan er niets van,' zeg ik, en ik gooi het ding op de grond.

'Tuurlijk wel,' zegt mijn vader. 'Maar denk je dat je in één keer kunt stuken?'

'Ja.'

'Dat kan niemand, zelfs jij niet.'Hij pakt de liniaal op en probeert de muur glad te strijken. 'Stuken is moeilijk en zwaar. Als je het kunt, ben je een knapperd en kun je later veel geld verdienen. Goede stukadoors zijn dun gezaaid en verdienen geld als water.'

Ik luister naar mijn vader en zie ondertussen een groot veld voor me. Er zitten zaadjes in de grond. Als je ze genoeg water geeft, komen ze als mannetjes met witte klodders in hun krullen en met trillende spierballen de grond uit.

'Vooruit, dromer,' zegt mijn vader. 'Het gips is op, help eens tillen.'

We tillen de trog naar buiten, naar onze eigen tuin. Mijn vader maakt een zak open en schudt wit poeder in de bak. Ik zet de kraan aan; het duurt even, maar dan komt er een dikke straal water uit de tuinslang. Ik richt hem naar de boom en sproei met een keiharde straal alle vogels van hun plek. Met klapperende vleugels vluchten ze weg.

'Hou eens op met klieren,' zegt mijn moeder, die ineens in de deuropening staat, met een flesje water in haar hand.

'Spuit liever wat water in de trog, dan kunnen we cement maken,' zegt mijn vader. Hij zet een ding op de boormachine, waardoor het een mixer wordt. Het is net of we pannenkoekenbeslag gaan maken, maar dan veel meer.

'Als je voorzichtig doet, mag jij mixen,' zegt mijn vader tegen mij.

Ik klim op een tuinstoel en pak de boormachine aan. Het lange ding draait door de prut in de bak.

'Mooi hè!' roep ik en kijk naar mijn vader. De mixer schiet omhoog en de witte klodders vliegen in het rond. Mijn vader zit onder het gips, en ik ook, en de tafel, en de rozenstruik en de vuilnisbak en de tuinbank.

'Stop!' roept mijn vader. 'Wat doe je?'

'Niets,' zeg ik. 'Dit kan ik ook al niet.'

Ik geef de boormachine terug, spring van de stoel en loop naar de keuken. Mijn moeder staat er niet meer.

Mijn vader houdt me tegen. 'Wat ga je doen?' vraagt hij.

'Weg,' zeg ik. 'Het lukt niet. Ik kan er niets van.'

'En ik dan?' vraagt mijn vader. 'Dan ben ik alleen.'

Ik kijk naar zijn gekke hemd en afgeknipte spijkerbroek. Aan zijn borstharen zitten harde witte klonten, op zijn armen ook, en in zijn haren. Hij lijkt net een aap. Een beteuterde witte aap. En die kun je niet alleen laten staan.

Samen tillen we de volle trog naar binnen en stuken we het laatste stukje van de muur.

'Mijn stoere stukadoor, daar ga je dan morgen,' zegt mijn vader, als hij 's avonds nog even bij ons komt. Mijn broer ligt in het andere bed.

'Je hebt nog een witte klodder in je haar,' zegt mijn vader, als hij me een zoen op mijn voorhoofd geeft.

'Lekker laten zitten,' zeg ik. 'Dan kunnen ze zien dat ik het ben.'

Ik zie mijn vader lachen, hij heeft ook nog klodders. Zo kan ik zien dat hij het is.

Als mijn vader weg is, roep ik Daan. Hij geeft geen antwoord. Slaapt hij al? Zou zijn hart niet bonken voor morgen?

Ik ga mijn bed uit, naar Daan toe. Ik schud aan hem. Hij gromt een beetje en doet één oog open. 'Daan,' fluister ik. 'Ben jij niet bang?'

'Waarvoor?' vraagt hij.

'Voor morgen, de school.'

Daan doet nog een keer zijn oog open en dicht.

'Gewoon aan morgenmiddag denken,' zegt hij.

'Waarom?'

'Dan is school weer voorbij.'

Verder zegt hij niets. Ik ga terug naar bed. Dan maar aan morgenmiddag denken. Maar wat dan? Wat zal er morgenmiddag gebeuren? Misschien heb ik dan al een vriend.

2 Het opstel

Daan heeft een nieuwe broek en T-shirt aan en ik ook. Precies hetzelfde. We hebben ook allebei een ketting om, met een haaientand eraan. ‘Kunnen we de kinderen opeten als we willen,’ grinniken we, als we allebei in de kale keuken staan.

We gaan lopend naar school. Over de stoep, het zebrapad en weer verder. Waar een boom staat, is de stoep smal en moeten we achter elkaar lopen. Mijn vader gaat voorop, mijn moeder erachter, dan Daan, en als laatste ik.

‘Nu nog een hond!’ roep ik naar voren.

‘Waarom?’ roept mijn moeder terug, die net over een hondendrol bij de boom stapt en meteen: ‘Kijk uit!’ roept.

‘Dat staat mooi,’ roep ik. ‘Allemaal op volgorde, eerst jullie, dan wij, en daarna de hond. We noemen hem Duco. Duco de hond en dan heeft hij krullen.’

‘Nou, mooi niet,’ zegt mijn moeder, als ze weer naast me loopt. ‘Ik heb al een leeg huis dat verbouwd moet worden en ook twee kinderen. Ik vind het wel best zo.’

We komen op de nieuwe school. Het is knetterdruk op het plein, iedereen praat met elkaar, maar niemand met ons. We staan bij de zandbak. Mijn vader ziet er nog steeds uit als een werkman, hij heeft zijn korte broek al weer aan. Om netjes te lijken heeft hij een colbertjasje aangetrokken.

'Daar staan we dan,' zegt mijn moeder.

'Gelukkig dat jij er bent,' zeg ik tegen mijn broer.

Daan knikt.

'Weet jij nog hoe je juf eruit ziet?' vraag ik aan Daan.

Hij schudt zijn hoofd. 'Geen flauw idee.'

Voor de vakantie zijn we een middag op de school gaan kijken. Ik zat bij een aardige juf in de klas, ze had een roze jurk aan en lange oorbellen in.

'En jij?' vraagt Daan.

'Een zuurstok,' antwoord ik.

Daan lacht. 'Of was zij het?' Hij wijst op een juffrouw die over het schoolplein aan komt lopen. Als we haar achterwerk zien, proesten Daan en ik het uit.

'Dat is nou een reet,' fluistert Daan. 'Een echte dikke reet. Is zij de juf?'

De juffrouw gaat meteen de school in.

'Misschien is ze nieuw, net als wij,' zegt Daan.

'Is ze bang, vlucht ze de school in.' zeg ik.

'Met haar dikke kont.'

'Joh,' zegt mijn moeder. Ze kijkt ons raar aan, alsof ze ineens een keurige mevrouw is geworden. 'Houden jullie je een beetje gedeisd.'

De bel gaat en we lopen de school in. Er komt een mevrouw naar ons toe, juffrouw Jacqueline. Zij is de baas van de school. Ik word een beetje scheel van alle zwartwitte ruiten op haar kleren, dus kijk ik maar niet meer naar haar. Op haar hoge hakken loopt ze met ons mee door de gang. Daan en mijn moeder gaan een klas in;

mijn klas is verder in de gang. De directrice laat ons bij de deur alleen.

Er zijn veel kinderen binnen, ze praten met elkaar en zoeken hun naambordjes, die op de tafels staan. Mijn vader en ik zoeken naar mijn tafel. Ik zie mijn naam, bij het raam. We lopen ernaartoe en ik ga zitten. Een jongen met mooie bruine wangen kijkt me aan en komt naar ons toe. 'Je hebt iets in je haren,' zegt hij. 'Wie ben je?'

'Sam,' zeg ik. 'En dat is gips.' Ik pak mijn haar vast, het spul valt eruit als ik eraan wrijf.

De deur van het klaslokaal gaat dicht. We kijken om en zien een juf staan, de dikke juf van het plein.

'Ik ga maar gauw,' fluistert mijn vader. Ik krijg een aai over mijn hoofd en mijn vader loopt weg. Nu ben ik alleen.

'Goedemorgen,' zegt de juf, als ze voor in de klas staat. Haar spijkerbroek zit strak om haar benen. Ze klapt in haar handen.

'Lekker zitten!' zegt ze. 'Welkom allemaal, we gaan beginnen!'

De kinderen zoeken hun tafel en gaan zitten. Maar het wordt niet stil in de klas.

Ik zit naast Suus, ze heeft een groene bril op en kijkt niet naar mij. Ze zwaait naar de overkant, waar een meisje met spierwitte haren terugzwaait. Ik kijk uit het raam.

'Zo kinderen,' hoor ik de juf zeggen. 'Ik ben jullie nieuwe juf. Ik ben Deolinde de Groot. Juf Deolinde. Jullie hebben me verleden jaar al eens zo af en toe gehad, toen viel ik in. Maar nu ben ik er elke dag.'

Ik kijk naar de juf. Ze ziet er heel jong uit. Alsof ze zelf net van school is.

'Hebben jullie allemaal een fijne vakantie gehad?' vraagt ze.

De kinderen roepen door elkaar. Het jongetje dat net bij me stond, roept het hardst.

'Eerst je vinger opsteken en je naam noemen. Zo leer ik jullie snel kennen.'

'Ran!' roept de jongen. 'Juf, we zouden toch weer juf Fieke krijgen? Die was hartstikke lief.'

Juf Deolinde trekt even met haar mond. 'Nou,' zegt ze, 'ik ben ook lief. Maar juf Fieke blijft in de andere klas, omdat de juf die daar zou komen, ineens ziek is geworden en voorlopig niet terugkomt. Tja kinderen, dit hebben we pas zo besloten. Maar nu gaan we beginnen. We beginnen allemaal met een opstel over de vakantie.'

Ze pakt een stapel blaadjes van haar bureau en deelt ze uit.

'Zo,' zegt ze als ze weer voor de klas staat. 'Jullie kunnen beginnen.'

Dezelfde jongen steekt weer zijn vinger op. 'Juf,' zegt hij. 'Dit doen we anders nooit. Dan beginnen we altijd met praten.'

De juf slikt een keer. 'Ja,' zegt ze. 'Dat doen we ook nog wel, maar we gaan nu eerst dit doen.'

Ik steek mijn vinger op. 'Juf,' zeg ik. 'Ik ben nieuw.'

'Ja, dat weet ik wel. We zijn allemaal nieuw.'

'Nee, dat bedoel ik niet. Ik ben echt nieuw.'

De juf trekt weer even met haar mond.

'Ja, goed. Maar nu gaan jullie lekker aan het werk. Sst.'

De kinderen pakken een pen en beginnen te schrijven. Ik kijk naar ze. Allemaal kinderen. Zullen ze aardig zijn? Krijg ik vrienden? Zal ik vragen of die Ran vanmiddag met me wil spelen?

'Sam,' hoor ik de juf zeggen. 'Ga eens aan de slag.'

Ik pak mijn pen. Schrijven over de vakantie. Wat moet ik schrijven? Ik weet niets. Ik kan geen opstel schrijven. Ik ben vergeten hoe ik moet leren. Het was zo'n lange vakantie. Op de andere school moest ik ook schrijven. Maar ik kon het niet. Daar ook al niet. Dat komt omdat de zinnen wegschieten. Als ik een zin heb bedacht en hem wil opschrijven, komt de volgende zin alweer in mijn hoofd. Maar die mag er niet komen, omdat ik eerst die ene moet opschrijven. En als ik niet oppas, komt de derde zin ook al. En dan wordt het een zootje in mijn hoofd.

De juf komt bij me.

'Sam,' fluistert ze. 'Lukt het?'

'Het gaat niet,' zeg ik.

'Schrijf gewoon iets, het hoeft niet zo lang,' fluistert de juf. Als ze zo op haar hurken naast me zit, is ze aardig. Ook een beetje zielig. Ik weet niet waarom ik dat vind. Misschien omdat ze ons niet kent. Misschien bonkt haar hart ook wel. Zal ik haar even over haar lichte haren aaien, net als mijn vader bij mij doet?

'Doe nou maar,' zegt ze, als ze overeind komt.

'Ik was niet op vakantie,' zeg ik.

'Waar was je dan?' vraagt ze.

'In het nieuwe huis.'

'Dan schrijf je daar over.'

Juf Deolinde loopt weg. Ik kijk haar na. Ze loopt naar haar bureau toe en gaat zitten. Nu kijkt ze naar ons. Naar mij. Ze knikt, ik knik terug.

'Aan het werk,' fluistert ze en maakt met haar hand een schrijfbeweging.

Ik hoor kinderen met hun pennen over het blaadje krassen. Iedereen schrijft iets, behalve ik.

Wat moet ik schrijven? We kregen een nieuw huis omdat het andere te klein was. Het nieuwe huis was leeg, een raar leeg huis. Het klonk er hol. Als ik 'Sam' riep, hoorde ik 'mammammam'. En als ik 'bak' riep, hoorde ik 'kakkakkak'. Moet ik dat opschrijven?

De juf staat weer naast me. 'Ik weet het niet,' zeg ik. 'Het gaat niet.'

'Wat heb je gisteren gedaan?' vraagt de juf.

'Gestuukt.'

'Schrijf daar dan over.'

Er komt een film in mijn hoofd en dan gaat alles door elkaar. Het gips dat ik tegen de muur aan smijt, de grote mixer waarmee ik het spul door elkaar kluts, het ding dat eruit vliegt en mijn vader die onder de klodders zit. Eigenlijk zitten er allemaal klodders gips in mijn hoofd. Dat kan ik opschrijven: in mijn hoofd zitten klodders gips.

Ik hoor de voetstappen van de juf, ze staat alweer naast me. Vanuit mijn ooghoeken zie ik heel veel spijkerbroek. Ze leest wat ik zojuist heb opgeschreven.

'Dat kan niet,' fluistert ze. 'In je hoofd zit toch geen gips.'

Ik knik.

Ze schudt haar hoofd.

'Wel,' zeg ik.

'Ssst,' zegt de juf en legt haar vinger voor haar mond.

Ze loopt verder. Wat moet ik nou? Dan maar zo:

Stuuken
Gibs voor binnen
Sement voor duiten
Gibs of spacie of sement
Het zit in een menkuip, of een trog. Zo heet de foerderbak van de farkens ook.
Vloerblaksdaan, dat is dat bing waarmee je het gibs over de muur verdeelt.
Troffel is een scheb waarmee je het gibs op het sbaarbort sgept.
De buitenhoeken zet je af met een beschermproviel.
En dan hep je nog een spekmes. Ik weet niet wat het is, maar het klingt mooi.

'Zo!' roept de juf. 'Lever de blaadjes maar in.'

Twee meisjes en ik mogen de blaadjes ophalen. Ik sta op en verzamel alle opstellen uit mijn rij. Vergeleken met de anderen heb ik veel geschreven. Mijn opstel is hartstikke goed!

3 Spelen

Na school lopen we in optocht terug. Mijn vader en moeder voorop, Ran en ik erachteraan. Zo heet mijn nieuwe vriend: Ran. Mijn broer is met een nieuwe jongen mee naar huis.

'Wil je met me stuken?' vraag ik onderweg.

'Wat is dat?' vraagt Ran.

'Met gips in een grote bak, je kunt er van alles mee doen. Muren en plafonds stuken.'

In de holle keuken drinken we limonade. Ran kijkt om zich heen. Hij zal het wel raar vinden bij ons. Bijna alle spullen staan nog in dozen. Over een paar weken komen er nieuwe kastjes en een aanrecht.

'Wil je nog steeds stuken?' vraag ik aan mijn nieuwe vriend. Hij knikt.

'Als dat leuk is…' zegt hij.

'Heel leuk.'

We gaan naar buiten. Uit de schuur halen we zakken wit poeder. Net als gisteren gooi ik het poeder in de bak, pak de slang, giet er water bij. Dan ga ik op een stoel staan om te mixen. Ran staat met zijn handen in zijn zakken te kijken hoe ik een lekkere dikke derrie maak. Als het goed genoeg is, trek ik de mixer omhoog. Weer vliegen de klodders in het rond. Ran duikt plat op de grond. 'Stop!' roept hij. 'Zet dat ding uit!'

'Ho!' roep ik. 'Sorry, foutje!'

Ik zet de boormachine uit, stap van de stoel af en kijk naar mijn vriend, die vol witte klodders zit. Ik trek hem overeind.

'Sorry,' zeg ik. Maar mijn vriend vindt het niet erg. Het is een leuk gezicht.

Wat zullen we als eerste doen, een been of een arm? Als ik er nog over nadenk, staat Ran al met twee benen in de trog. Hij beweegt zijn tenen en de dikke smurrie komt er als blubber doorheen. Ik pak een klodder gips en smeer het over zijn been, precies bij de rand van zijn korte broek. Ik plak het hele been vol, zijn knie, een rare bobbelknie, dan zijn onderbeen. Zijn voet hoeft niet, die staat nog in de prut.

Ran beweegt een beetje en meteen zakt het gips weer naar beneden.

'Sta stil,' zeg ik.

'Het werkt niet,' zegt hij.

'Wel,' zeg ik. 'Wacht.'

Ik loop naar de schuur en pak de rollen verband, die mijn vader niet meer nodig had voor het stuken van de schoorsteen.

'Vind je het nog leuk?' vraag ik, als ik terug ben en Ran nog steeds in de bak staat.

'Heel leuk,' zegt hij. 'Het wordt net echt. Hoef ik morgen niet naar school.'

'Waarom niet?' vraag ik.

'Morgen ben ik gebroken.'

'Nu ik,' zeg ik, als Rans been al een beetje droog is.
'Dan moet ik er eerst uit,' zegt Ran. 'Maar hoe doe ik dat? Mijn twee voeten zitten vast.'

'Je moet je laten vallen.'

'Doe het zelf,' zegt Ran. 'Ik laat me niet vallen. Breek ik mijn kont ook nog.'

'Moet-ie in het gips!' roep ik.

Ik pak Ran onder zijn armen en vang hem op, totdat hij op de grond ligt. De trog zit om zijn voeten. Daar ligt hij dan, als een prins, met een trog om zijn voeten.

'Kom je naast me liggen?' vraagt hij.

Dat doe ik. Ik ga naast mijn vriend in het gras liggen. Op mijn zij. Met mijn hand ondersteun ik mijn elleboog. Ran knippert met zijn ogen. Zijn haren zijn naar achteren gegleden. Ik trek een grasspriet uit de grond en kietel er voorzichtig mee in zijn neus. Hij schudt zijn hoofd heen en weer. 'Niet doen!' roept hij.

Ik doe het nog een keer. Ran slaat naar mij. Maar hij is niet echt boos. Ik vind hem leuk.

De keukendeur gaat open en mijn vader komt de tuin in.

'Zo,' zegt hij streng, maar ik hoor dat hij niet echt boos is. 'Ziekenhuisje spelen? En hoe denken jullie het gips eraf te krijgen?'

Ran en ik kijken elkaar aan. We trekken onze schouders op.

'Gewoon.'

Mijn vader zegt niets, hij loopt het schuurtje in. Even later is hij terug met een apparaat. Hij houdt het omhoog en zegt: 'Dit is een tol, een slijptol. Daarmee zaag ik spullen van ijzer door, of gipsen benen.'

Ran is meteen knalrood.

'Zaagt u mijn benen eraf?' vraagt hij.

Mijn vader schudt zijn hoofd. 'Ik zou wel willen,' zegt hij. Hij maakt een grapje, maar dat ziet Ran niet, hij is nieuw bij ons. 'Ik ben dol op benen zagen. Het liefst was ik meester geworden. Gipsmeester, in een ziekenhuis. De hele dag mensen in het gips wikkelen en het met de slijptol er weer af halen. Helaas ben ik het niet geworden, maar nu grijp ik mijn kans.'

'Pa,' zeg ik, 'doe normaal.'

Mijn vader legt de tol op de tuintafel. 'Vooruit,' zegt hij. 'Jullie hebben geluk. Zo snel wordt dit gips niet hard. Zet de tuinslang er maar op.'

Om halfzes is het grasveld wit en gaat Ran met gespikkelde benen naar huis. Het gips is er nog niet helemaal af. Maar ik heb een vriend!

4 Niet goed

'Ik wil u vanmiddag even spreken,' zegt juf Deolinde, als we de school in komen.

'Waarover?' vraagt mijn vader.

'Over Sam.'

'Nu al?'

De juf knikt. Ze kijkt heel ernstig. Mijn hart bonkt alweer.

'Is er iets?' vraagt mijn vader.

De juf knikt nog een keer. 'Ik heb dingen gezien die we meteen bij de kop moeten nemen, anders gaat het mis.'

'Hemeltje lief,' zegt mijn vader. 'Dit is een ernstige zaak. Kan het niet nu meteen? Anders heb ik de hele dag de zenuwen, en mijn zoon ook. Denken we de hele dag aan de dingen die we bij de kop moeten nemen.'

Juf schudt haar hoofd. 'Ik moet nu naar de groep. Vanmiddag kunnen we rustig praten.'

'We gaan AVI testen,' zegt de juf na de pauze. 'Ondertussen mogen jullie in de bieb een boek uitzoeken. Sam, deed je op de andere school ook aan AVI lezen?'

Ik knik.

'En weet je nog in welk niveau je zat?'

'AVI uit!' roep ik.

'Dat kan niet,' zegt de juf.

'Waarom niet?'

Juf geeft geen antwoord. Ze doet net alsof ze me vergeet.
'Juf,' zeg ik. 'Waarom niet?'

Juf raapt wat blaadjes bij elkaar en maakt er een stapel van. 'Omdat... bij wat ik tot nu toe heb gezien, ik me niet kan voorstellen dat je al AVI uit bent. Maar we zullen zien.'

Mijn hart bonkt alweer. Sinds ik hier op school ben, lijkt het alsof er een reus door mijn lijf dendert.

Ran draait zich om en wenkt me. Ik wil opstaan om naar hem toe te lopen, maar de juf ziet me. Ran gaat weer recht zitten. Als we naar de bieb mogen, loopt Ran naar mij toe. 'Kom mee,' fluistert hij. 'Ik weet waar de seksboeken staan.'

Bij het gymlokaal, aan het einde van de gang, is de bibliotheek. Er zit een mevrouw achter een tafel, die de boeken van twee meisjes uit onze klas afstempelt. Ran zegt niets tegen haar, maar loopt naar een kast. 'Informatief' staat erop. Hij pakt een boek, laat het me zien en trekt me mee naar de achterkant van de kast. Daar liggen kussens tegen de muur aan. We ploffen neer en Ran maakt het boek open. 'Kijk,' zegt hij. 'Wat is dit?'

Ja, dat zie ik echt wel. Dat is een enorme piemel met pijltjes erbij.

Ran slaat de bladzijde om. 'En dit?' fluistert hij triomfantelijk.

Ja, dat zie ik ook wel. Een groot vrouwending met zwarte haren en met pijltjes erbij.

Ik voel me hartstikke rood worden. Ran slaat nog een bladzijde om en ik zie de binnenkant van een mevrouw. 'Kijk,' zegt Ran. 'De flappen.'

‘Wat doen jullie daar?’ roept de biebmevrouw.

‘Lezen!’ roept Ran en klapt het boek dicht. We willen net opstaan, als ze voor ons staat.

‘Mag dat?’ vraagt ze. ‘Mogen jullie hier blijven lezen? Volgens mij niet.’

Ran trekt zijn schouders op. ‘Dan niet,’ zegt hij.

Ik loop naar de tafel. Bij de kast met C-boeken blijft Ran staan en pakt een boek. ‘Hier,’ zegt hij. ‘Gaat over de oorlog. Hartstikke spannend.’

Als ik aan de beurt ben voor de test gaat het weer zo raar kloppen vanbinnen.

‘Doe even normaal,’ zeg ik tegen mezelf. ‘Stel je niet aan.’

Ik ga naast de juf staan. Ze legt een blad voor me neer. Met een potlood wijst ze op het eerste rijtje. ‘Laat maar horen,’ zegt ze en drukt de stopwatch in. Nu moet ik ineens heel snel woorden lezen, terwijl ik sta en de juf zie, en de pukkeltjes op haar wang. Waarom heeft ze pukkeltjes daar? Die heb je toch niet meer als je groot bent.

‘Sam, ik hoor je niet,’ fluistert juf.

‘Nee, ik zie niets.’

‘Goed kijken,’ zegt de juf en drukt weer de stopwatch in.

Ik lees heel snel: schapensijpel, boolieeser, achter nog iets.

‘Weet je wat,’ zegt ze, terwijl ik nog lang niet klaar ben. ‘Ik begin bij AVI vier, dan kan het altijd meevallen.’

Ik schud mijn hoofd. ‘Juf, ik zat zeker in AVI zeven of acht, maar het ging heel anders op die school.’

‘Hoe dan?’ vraagt juf.

'Daar mocht ik zitten, en de woorden waren anders.'

'Dat kan niet,' zegt juf. 'Alle woorden zijn overal hetzelfde. Maar je mag wel gaan zitten, als je dat liever wilt.'

Juf schuift een stoel bij haar bureau. Nu zit ik veel te laag, maar ik zeg er niets van. Mijn hart bonkt ook nog steeds. Ik krijg een blaadje in mijn handen en ik moet lezen.

'Het gaat toch niet zo goed hè,' zegt juf. 'Er moet nog heel wat gebeuren met je. Ik stel voor dat je eerst de hele leeslijn doorneemt, voordat je zelf een boek uit de bieb gaat kiezen.'

'Ik heb al een boek,' zeg ik. 'Over de oorlog.'

Juf schudt haar hoofd. 'De oorlog? Dat zou ik niet doen. Nee, we beginnen gewoon lekker bij het begin.'

Ze staat op en loopt weg. Ik maak twee schele ogen naar Ran, die net even opkijkt. Hij maakt met zijn duim en wijsvinger een rondje, met zijn andere wijsvinger prikt hij erin. Ik weet wat het betekent. Iets heel vies. Bijna moet ik heel hard lachen, maar ik kan me inhouden omdat de juf er al weer is.

'Alsjeblieft,' zegt ze. 'Lees maar van Pim en Frits, dat is ook leuk.'

Ik ga terug naar mijn plek en sla het boek open. Pim en Frits gaan vliegen. Maar niet echt, ze doen alsof. Heel flauw. Als de juf even niet kijkt, pak ik het oorlogsboek en leg het op het andere.

Na school moet ik blijven. Mijn vader en moeder komen de klas in, en nog iemand, een speciale juf. Ze helpt kinderen die moeite hebben met lezen.

We gaan allemaal op de kleine stoelen zitten. Mijn juf pakt mijn opstel en legt het op de tafel.

'Kijk,' zegt ze.

Stuuken
Gibs voor binnen
Sement voor duiten

'Om te beginnen is dit natuurlijk geen opstel. Het is meer een opsomming. Maar goed.'

Mijn vader wil wat zeggen, maar de juf praat door. 'Stuken is met één u en met een c in plaats van een k.'

'Kan allebei,' zegt mijn vader.

De juf kijkt hem even aan. Ze heeft aan een puistje gekrabd, ik zie dat het een beetje bloedt. Moet ik er wat van zeggen?

'En dan,' gaat ze door. 'Gibs. Dat is met een p. Dan zou je nog kunnen denken dat je misschien een b hoort, maar verderop zie ik dat Sam voortdurend alles door elkaar haalt.'

'O ja,' zeg ik. 'De buiken, nu weet ik het weer.'

'Maar ja, de v en de f haalt hij ook door elkaar. En dan een spekmes, hoe komt hij daar ineens bij?'

'Wat een drama,' zegt mijn vader.

Mijn juf knikt. 'En daarom moeten we er snel bij zijn.'

'Ja,' zegt mijn vader. 'Kijk, weet u wat het is? Om te kunnen stuken hoef je niet te kunnen schrijven, en om te kunnen schrijven hoef je niet te kunnen stuken.'

De juf knippert even met haar ogen.

'De een leert snel schrijven, de ander niet. Meestal is het zo dat een mens eerst leert schrijven, dan stuken. Blijkbaar gaat het bij mijn zoon precies andersom.'

'Maar hij zit ook niet stil,' zegt de juf.

Mijn vader schudt zijn hoofd. 'Nee, wat wil je, na een verhuizing, in een kaal huis en dan ook nog in een nieuwe klas. Maak je geen zorgen, juf. Vroeg of laat kan mijn zoon alles. Let maar op.'

'Vind ik ook,' zegt mijn moeder.

'Toch wil ik goed de vinger aan de pols houden,' zegt de juf. 'Is dit trouwens op de vorige school niet gesignaleerd?'

Mijn vader en moeder schudden hun hoofd en knikken ook.

'Jawel,' zegt mijn moeder. 'Maar welk kind had er geen moeite met de buiken? De een wat meer dan de ander. En met Sam ging het prima.'

Nu schudt de hulpjuf haar hoofd. Alsof de vorige school niet goed was! Het was er hartstikke leuk!

'Wij vermoeden een vorm van dyslexie,' zegt die juf. 'Als we dat niet meteen aanpakken, krijgt Sam later grote problemen.'

'Hè bah,' zegt mijn vader. 'Wat een toestand, meteen al de eerste week op school. Weet u wat, geef mijn zoon een beetje tijd. Dan groeit het zitvlees vanzelf aan en gaat hij ook wel lezen.'

Mijn ouders staan op, ze geven de juffen een hand. 'Bedankt,' zegt mijn moeder. 'Dat u zo snel erbij bent. Maar zoals mijn man al zei, rustig aan.'

We lopen naar huis. 'Weten jullie wat een vulva is?' vraag ik. Mijn moeder kijkt me strak aan. Mijn vader, die voor ons loopt, staat stil en draait zich om.

'Hoezo?' vraagt hij.

Ik trek mijn schouders op. 'Stond in een boek.'

'Wat zeg je?' vraagt mijn moeder. 'In een AVI boek?!'
Ik trek weer mijn schouders op.
'Nou,' zegt mijn vader. 'Krijg jij eerst maar eens zitvlees.'
'Ja,' zeg ik. 'Alsof ik weet wat dát is.'

5 Verrassing

Mijn broer en ik gaan op de fiets naar huis. Het is de tweede week op school en nu weten we hoe we rijden moeten.

'Ik heb me weer kapot gewerkt,' zegt Daan. 'Man, het is net een strafkamp hier.'

'Ja,' zeg ik. 'Mijn juf vindt niets goed. Ze is steeds boos.'

'De mijne niet, die is aardig. Maar we zijn wel haar slaven. Ik mag niet eens naar buiten kijken!'

'Ik mag niet eens door de klas lopen.'

'Nee, hè hè,' zegt Daan.

Er is niemand thuis. Beneden niet en boven niet. We vinden het raar, maar we zijn niet ongerust. Pa of ma zal straks wel thuiskomen.

We gaan naar de keuken. Daan trekt de deur van de koelkast open en pakt drinken. Ik ga op een krukje staan, om twee bekers van een scheve plank te pakken.

Buiten wordt getoeterd. Onze auto! Ik spring van het krukje en loop naar de voordeur. Daar staat de auto, midden op de stoep. Mijn vader is uitgestapt. Hij loopt om de auto heen en maakt de deur voor mijn moeder open. Ze stapt uit en blijft voorovergebogen staan met iets in haar armen. Een rode deken. Ze kijkt ernaar. Daan en ik lopen naar hen toe en we zien het allebei. Een hond! Het beest steekt zijn kop uit de deken en kijkt ons brutaal aan. Bij zijn neus heeft hij een witte stip.

Daan en ik praten meteen door elkaar heen: 'Hoe kom je eraan? Van wie is die? Voor wie is die?'

'Voor ons,' glundert mijn moeder.

'Hè?' zegt mijn broer. 'Waarom?'

'Daarom!' roep ik en ik ga gauw mijn moeder helpen als ze naar binnen loopt.

Mijn moeder zet het hondje in de kamer op de grond. Hij kwispelt met zijn staart en kijkt om zich heen. Ik ga op de grond zitten. De hond komt in mijn armen gelopen, hij steekt zijn tong uit en likt me over mijn neus. Ik sla mijn armen om hem heen en leg mijn hoofd tegen hem aan. Hij is warm en zijn korte haren zijn zacht. Ik voel zijn hart kloppen. En ik weet het meteen: ik houd ontzettend veel van hem!

Daan trekt het hondje even aan zijn staart. Het beest draait zich om, maakt een gekke sprong alsof het een lammetje is en loopt naar Daan toe. Mijn broer houdt zijn ogen dicht en laat het beest in zijn gezicht likken.

Als mijn vader hem roept, loopt het hondje naar hem. We zitten in een kring en de hond gaat om de beurt naar ons toe.

Mijn moeder vertelt ondertussen dat ze in het dorp was en een mevrouw met een schattig hondje zag – zijn broertje. Mijn moeder vond hem zo schattig dat ze meteen verkocht was.

'In één keer,' zegt mijn moeder. 'Zo wilde ik nooit een hond en zo kom ik er met een thuis.'

Ze had aan de mevrouw gevraagd hoe ze aan het hondje kwam. Hij kwam uit een nest van zeven puppy's, zei ze; misschien waren er nog meer. Mijn moeder was naar de boerderij gefietst en had de moeder gezien – met nog één pup, onze hond! Ze mocht hem meenemen, als ze er maar goed voor zou zorgen. Toen had ze pa opgehaald en waren ze er samen naartoe gereden.

'Best raar,' zeg ik.

'Heel raar,' zegt mijn moeder. 'En ook dom.'

'Dom?' Het beest is alweer bij mij, ik sla mijn armen om hem heen en trek hem dicht tegen me aan.

'Heb ik twee kinderen, een man, een half huis en een hele hond erbij. Niet echt de juiste timing.'

'Maakt allemaal niets uit,' zeg ik, want ik begrijp toch niet wat ze zegt. Daan roept de hond en als hij niet snel genoeg luistert, trekt hij heel even aan zijn staart. Het beest wordt niet boos, maar misschien wel duizelig.

'We moeten hem een naam geven,' zeg ik. 'Dan kan hij komen als we hem roepen.'

Op mijn billen schuif ik naar mijn broer, die het beest dicht tegen zich aan geklemd houdt. Ik sla mijn armen om de hond en Daan heen. Mijn vader vraagt wie er een goede naam weet.

'Wodan,' zegt Daan.

'Makker,' zeg ik.

'Nee,' zegt Daan. 'Sproet.'

'Sproet? Waarom? Dan denk ik aan erwtensoep.'

'Je bent gek,' zegt Daan. 'Sproet, hij heeft toch net sproeten.'

'Welnee,' zeg ik. 'Die zijn veel kleiner. Deze hond is wit met rode vlekken.'

'Ja,' zegt mijn moeder. 'Denk maar aan wit met rode vlekken. Of oranje.'

'Griesmeelpudding met bessensap,' zeg ik. Het beest wurmt zich los en loopt snuffelend door de lege kamer. Hij moet vast plassen. We moeten hem uitlaten. Ja! Aan een lijn en een halsband. Zoals alle andere honden.

Mijn moeder staat op en kijkt om zich heen.

'Ik heb nog niets,' zegt ze. 'Ook dat is niet slim. Geen riem, geen mand, niets.'

Dan maar een touw.

Daan en ik lopen buiten. Met de hond aan een touw. Hij doet als alle andere honden, hij loopt met zijn neus vlak boven de grond, snuffelt totdat hij een geschikte plek vindt, tilt zijn pootje op en plast. Dan snuffelt hij weer verder, tot aan een boom. Daar draait hij vier keer in de rondte en gaat met zijn gat tegen de boom zitten wachten. Even later trilt zijn achterlijf en perst hij er een drol uit. Het stinkt meteen. Wij kijken natuurlijk de andere kant op.

'Paddenstoel,' zegt Daan, als hij aan de beurt is om het touw vast te houden. Blij en waarschijnlijk opgelucht dat hij gepoept heeft, huppelt onze hond verder.

'Hoezo?' vraag ik.

'Rood met witte stippen. Maar dan andersom.'

'De rode hond,' zeg ik.

'Nee,' zegt Daan. 'Dat is een ziekte. 'Vuurtoren.'

'Hij heeft toch geen zwaailicht? Zullen we hem los laten lopen?'

Daan kijkt me aan. Hij schudt zijn hoofd.

'We kunnen het ook in stukken delen,' zegt Daan,

als ik het touw weer vastheb en achter hem aan ren.

'Wat wil je in stukken delen?' hijg ik. 'Ben jij gek?'

'Vuur, of To of Ren,' zegt mijn broer, die met grote passen achter me loopt.

'Ja! Ran, net als mijn vriend!'

We noemen hem Vuur. Thuis heeft mijn moeder een bak water neergezet. Vuur loopt ernaartoe en drinkt de bak leeg. De spetters vliegen in het rond. Daan en ik gaan plat op onze buik liggen om alles goed te kunnen zien. De haren onder zijn kin worden nat. En als mijn moeder brokken neerzet, en Vuur meteen begint te vreten, dan vallen de druppels in zijn etensbak. Hap hap hap, en ondertussen kauwen en doorslikken. In een paar minuten is de hele bak leeg! Vuur schudt zijn kop, draait zich om en loopt over me heen alsof ik een boomstam ben. Ik draai me om en ga op mijn zij liggen. Vuur likt in mijn oor, over mijn wang. Ik duw hem weg. Vuur springt naar achteren en snuffelt aan mijn teen. Als ik mijn been wegtrek, gaat hij weer kwispelen. Dan duwt hij zijn snuit in mijn oksel, gaat liggen en valt in slaap.

Vuur en ik. Nu ben ik voor altijd gelukkig.

's Avonds kan ik niet slapen. Ik denk de hele tijd aan mijn hond. Mijn vader heeft vanavond een kooi opgehaald, een ijzeren box waar hij in moet liggen. We hebben er de rode deken in gelegd, een knuffel en een oude theedoek. Nu is Vuur in zijn eentje beneden, in die ijzeren kooi, een bench heet dat. Helemaal alleen, terwijl hij vannacht nog bij zijn moeder sliep. Stel je voor!

Ik roep Daan, maar die slaapt, hij zegt niets. Nu lig ik

dus hier alleen en Vuur beneden alleen. Zou hij al slapen? Zou hij verdrietig zijn? Het arme beestje, het is nog maar een baby, ik moet goed voor hem zorgen.

Ik duw het dekbed naar beneden en stap uit bed. Op de overloop is het donker en stil, beneden brandt ook geen licht meer. Ligt dat beest dus in zijn eentje in het donker in een lege kamer, niemand die hem hoort als hij huilt.

Ik ga de trap af, doe de kamerdeur open. Zacht roep ik mijn hond. Hij zegt niets terug. Slaapt hij?

Door het raam, waarvoor nog geen gordijnen hangen, valt een lichtstreep van de lantarenpaal. Ik kan de kooi zien, maar meer ook niet. Met mijn hand ga ik over de muur, totdat ik het lichtknopje heb gevonden. Het licht gaat aan, ik kijk en zie niets. De kooi is leeg! Het deurtje staat open, de deken ligt erin, maar Vuur is weg. Ik kijk de hele kamer door, maar nergens zie ik mijn hond. Waar zou hij zijn? Zou Daan het weten?

Ik ga de kamer uit, de trap op, naar onze kamer, naar Daan. Ik klik het lampje boven zijn bed aan. Hij slaapt op zijn zij, met zijn rug naar me toe. Ik schud aan zijn schouder. De gek slaapt gewoon door. Is hij niet ongerust?

'Daan!' fluister ik in zijn oor. 'Vuur!'

Daan murmelt wat, maar wordt niet wakker. Weer rol ik zijn schouder heen en weer.

'Daan, Vuur is weg!'

'Mwwa,' borrelt Daan.

'Danie, we moeten zoeken.' Ik ruk het dekbed van hem af. Daar ligt Vuur, in het holletje, tegen Daans buik aan. Vuurtje snurkt en doet nog geen oog open.

Ik stap over Daan en de hond heen en ga met mijn rug tegen de muur liggen, zodat Vuur ook in mijn holletje ligt. Als ik mijn arm flink uitrek, kan ik het licht uitdoen. Dan trek ik het dekbed over ons heen en val in slaap.

6 Elke dag feest

Vuur slaapt elke nacht bij mij. Of bij mijn broer, en dan slaap ik ook bij mijn broer. Als Daan dat merkt, probeert hij me uit bed te schoppen, wat niet lukt, omdat ik tegen de muur aan lig.

Als we uit bed zijn, is mijn moeder altijd boos: wéér een bed vol haren. Bah!

Wat maakt dat uit? Vuur is warm en lief en zacht.

En hij luistert goed. Voordat we naar school gaan, moet ik hem uitlaten. Daan moet het 's middags doen. Ik loop iedere ochtend met Vuur een rondje door de straten. Ik heb hem meteen geleerd om in de goot te poepen, anders moet ik met een zakje zijn drol oprapen. Dus heb ik hem een week lang naar de goot getrokken, als hij ergens door zijn achterpoten ging zakken en zijn lijf begon te trillen.

Ik lijk net een soldaat. Als ik Vuur aan de riem heb, loop ik rechtop en zeg met een strenge stem: 'Vuur, naast.' Ik houd de lijn zo kort dat hij wel naast mijn voet moet lopen. En als hij moet poepen, zeg ik: 'Vuur, goot.'

Maar het belangrijkste is: 'Vuur, ruik.'

Ik ga namelijk een politiehond van hem maken. Een speurhond, die gevaarlijke dingen kan opsporen, en als het moet iemand in de broekspijpen kan bijten.

Ik denk wel dat Vuur nog heel veel moet leren, want tot nu toe kwispelt hij bij iedereen die hij tegenkomt.

Ik ben nog steeds in de war met de b en de d en de p. Ook waar de letters moeten staan. Dat komt omdat ik heel slim ben, vind ik zelf. Bijvoorbeeld met het woord 'brood'. Dan zie ik een paar letters staan en dan denk ik: daar staat 'brood', wat anders? Dan schrijf ik het op: boord. En dat is fout. Waarom? Omdat de r niet goed staat. Nou en?

Juf is altijd boos, ze vindt dat ik het al had moeten weten. En als ik zo doorga, leer ik het nooit.

Maar als ik aan Vuur denk, gaat het goed. Omdat hij brood lust. B-r-oo-d. En geen b-oo-r-d. Ik weet ook niet hoe dat kan, maar zo gaat het wel. Als ik drokje schrijf, denk ik aan de zak met brokken voor de hond. Dan weet ik het weer: b-rokje!

Vuur is overal handig voor. Iedereen wil mijn hond zien, dus uit school neem ik elke keer een ander kind mee. Ran is hier al vier keer geweest. Suus en Liza zijn ook een keer gekomen. Dat was op woensdagmiddag, we aten buiten in de tuin. Suus zat naast me, ze vond het brood niet lekker, ze at heel langzaam. Ik trok mijn soldatengezicht en wees met mijn vinger naar de grond. Vuur, die een eindje verderop in de zon lag, stond op en kwam aan mijn voet staan, tussen mij en Suus in. Ze voerde hem haar brood, en mijn moeder vond dat ze een lekkere stevige eter was.

Als iedereen weg is, kleed ik me uit, roep Vuur en dan kruipen we samen in bed. Hij ligt tegen me aan, slaat een poot om me heen en doet zijn ogen dicht. Totdat ik een flapoor van hem optil.

'Weet je dat Suus best leuk is,' zeg ik. Vuur doet een oog open en kijkt even naar me.

'Ze zegt het als ik de buiken niet goed schrijf.'

Weer kijkt Vuur me even aan.

'Alleen als de juf niet kijkt hoor. Anders krijg ik op mijn kop.'

Vuur zucht.

'Stom hè,' zeg ik. 'Ik krijg altijd op mijn kop, ook als Suus begint met kletsen.'

Vuur zucht heel diep. Hij snapt het precies.

Daan en ik moeten de hond delen. De ene dag mag Daan de hond en de andere dag ik. Iedere dag testen we hoeveel Vuur van ons houdt. We gaan tegenover elkaar staan en roepen de hond. Hoe sneller hij bij mij is, hoe meer hij van mij houdt. Soms houdt hij iets meer van Daan en een andere keer iets meer van mij. Maar mijn moeder zegt dat we de hond gek maken. Het is nog maar een jong beest, hij moet leren waar hij aan toe is.

Vuur moet elke dag leren. Hij mag niet bedelen, hij moet gehoorzamen als wij hem roepen, hij moet in zijn bench als wij eten. Als hij een koekje krijgt, leert hij zitten, een poot geven en liggen. Vuur kan al iets wat geen enkele andere hond kan: ronddraaien. Als hij op de grond ligt, draait Daan een rondje met zijn vinger; dan draait Vuur op zijn rug en weer door tot zijn buik. Hij doet het alleen bij Daan. We hebben de taken verdeeld, Daan maakt een circushond van hem en ik een speurhond. De rest doet mijn moeder.

Het is donderdag, ik ben moe en wil naar huis. Het is nog steeds kaal als ik thuiskom. Volgende week komt de nieuwe keuken, maar nu klinkt het nog hol als ik 'hallo' roep.

Vuur komt kwispelend op me af. Ik laat me op mijn knieën vallen en sla mijn armen om hem heen. Vuur is zo blij dat ik er ben!

'Kom,' zeg ik. 'We gaan naar bed.' Ik sta op, vind een briefje op het oude aanrecht. Het is van mijn moeder, ze komt zo thuis. Daan is er ook nog niet, ik ben lekker alleen met Vuur. Hij rent voor me uit de trap op. Voor onze slaapkamerdeur blijft hij staan.

'Je weet alles, hè,' zeg ik, als ik de deur openmaak.

Nog maar drie weken is hij bij ons en hij weet het al precies. Hij weet dat hij niet op bed mag als mijn moeder er is en hij weet dat hij er wel in mag als zij er niet is. Ik trek mijn pyjama aan en kruip in bed, dicht tegen mijn zachte warme hond aan.

'Vuur,' fluister ik. 'Jij bent mijn grootste vriend. Ik houd van je. Niks zeggen hoor, ik heb gespiekt. We hadden overhoring van de steden. Ik heb hetzelfde opgeschreven als Dorien, zij is heel goed in steden. Ik heb haar een dropbal gegeven. Die lag op het bureau van de juf. Ik dacht: ik pak hem maar, de juf wordt toch veel te dik.'

Ik wacht even met praten en kijk naar mijn lieve hond. Hij luistert echt, want nu ik niets zeg, kijkt hij me aan alsof hij meer wil horen.

'Heb je me gemist?' fluister ik. 'Wil je de volgende keer mee naar school? Zal ik je meenemen? Lijkt me wel gezellig.'

Onder het dekbed kwispelt Vuur met zijn staart. Hij

schuift iets omhoog en geeft me een lik over mijn neus. Mmm. Ik doe mijn ogen dicht en val in slaap.

Ik word wakker door mijn moeder.

'Sam,' zegt ze, 'wat had ik gezegd? Ik was me de versuffing. Alsof ik niet méér te doen heb.' Ze trekt het dekbed van me af en Vuur springt snel van het bed.

'Hoe krijg ik ooit het huis opgeknapt als ik de hele dag beddengoed vol haren moet wassen?'

'Mam,' zeg ik. 'Dat zeggen we zo vaak, dat hoeft niet. Wij vinden het niet erg om tussen de haren van Vuur te slapen.'

'Ik wel,' bromt mijn moeder. 'Ik vind het vies, smerig, onhygiënisch en ongezond. Maar Ran belde, of je mee ging voetbalplaatjes halen. En neem Vuur mee, dan wordt hij meteen uitgelaten.'

7 Brand

'Goed dat je er bent,' zegt Ran als ik bij de supermarkt aankom. 'Het duurde wel lang. Maar je bent er. Let op.'

Ran staat bij de ingang van de winkel. Er is een voetbalplaatjesspaaractie. Als je boodschappen hebt gedaan, krijg je plaatjes die je in een boek kunt plakken. Ran heeft er al veel, omdat hij elke dag bij de winkel staat. Als er mensen naar buiten komen, vraagt hij de plaatjes. Zo krijgt hij er heel veel en ik krijg weer van hem.

'Zie je die jongens?' vraagt hij. 'Ik ken ze niet, maar ze dringen steeds voor.'

'Dan neem jij toch de volgende?'

'Zo druk is het niet,' zegt Ran. 'Kijk, daar gaan ze weer.'

Maar ik kijk niet. Vuur trekt aan me, hij snuffelt druk over de stoep. Hij trekt me mee naar de achterkant van de supermarkt. Ran komt met ons mee. Vuur loopt naar de containers, waar stukken brood op de grond liggen. Hij wil ze meteen opvreten, maar ik trek hem weg. Straks zit er vergif in.

'Je bent een boef, Vuur,' zeg ik. 'Kom mee.'

We willen teruggaan, maar er flapt een grijze rubberen deur open en er komt iemand in een blauwe jas naar buiten. Hij heeft een paar zakken brood in zijn handen en kiepert ze in de container. Ran loopt naar hem toe.

'Meneer,' zegt hij. 'Heeft u voetbalplaatjes?'

De man kijkt Ran aan en schiet in de lach.

'Nee,' zegt hij. 'Dan moet je gewoon in de winkel spulletjes kopen.' Hij loopt weer weg, de flapdeur door. Ran en ik staan achter de containers tegen de muur aan geleund.

'Wat zou daar zijn?' vraagt Ran.

'Waar?' vraag ik.

'Achter de klapdeur.'

De deur gaat weer open. En we zien het allebei. Snel duiken we in elkaar en ik trek mijn hond naar me toe. Door de flapdeur stapt de juf. Met nog iemand. Een man in een blauwe jas. Als we heel diep bukken kunnen we onder de container door kijken. We zien de dikke kuiten van juf boven de hakschoentjes. Ik kan er niets aan doen, maar als ik dat zie moet ik altijd aan varkentjes denken, die hebben grappige poten, net of ze op hakjes lopen.

De schoenen staan tegenover zwarte schoenen. Ze schuifelen een beetje heen en weer.

'Tot hoe lang moet je werken?' horen we juf zeggen. Ze heeft een andere stem dan in de klas.

'Tot sluiting,' zegt een lage stem.

'Kom je dan naar mij toe?'

'Ik zou met vrienden wat gaan drinken.'

'Daarna?'

'Het wordt laat. Maar ik moet nu weer aan het werk.'

'Ja schat.'

Ran en ik kijken elkaar aan. Mijn benen doen pijn van het gehurkt zitten, Vuur likt in mijn gezicht, maar we moeten ons niet verroeren.

'Nou doei.'

Het blijft een tijdje stil. Zouden ze zoenen? Ran verschuift een beetje. Langs de container loert hij naar de juf. Hij kijkt, draait zich naar mij en grijnst.

'Je bent mooi,' horen we de mannenstem zeggen.

Ran kijkt me weer aan. De juf – mooi?

'Maar ik moet naar binnen.'

Het is even stil. Dan horen we haar vragen: 'Vind je me echt mooi?'

Ran kijkt naar mij en schudt zijn hoofd. Ik moet oppassen om niet heel hard te lachen. Maar Vuur is me voor. Hij blaft hard, alsof hij zeggen wil: gaan we nu nog spelen of niet?

We duiken allebei nog verder in elkaar en gehurkt lopen we weg, zo snel als we kunnen, de hoek om. Daar steken we de straat over, rennen langs de auto's, steken weer een straat over, totdat we bij de vijver komen en ons languit in het gras laten vallen.

'Vind je me mooi?' roept Ran uit, als hij eerst even gekeken heeft of de juf ons niet achterna is gehold. 'Schat!'

Ran gooit zijn benen in de lucht, Vuur springt boven op hem en likt Ran overal in zijn gezicht. Mijn vriend slaat zijn armen om de hond heen. 'O, onze speurhond!' roept hij. 'Wij zijn detectivebureau Brand. Onze namen zijn Vuur, Water en Slang. Pssjt!' Hij doet alsof zijn arm een slang is die water in de vijver spuit. 'Kijk,' zegt hij dan opeens. 'Snap jij dat?'

'Wat?' vraag ik.

'Die eenden. Hoe kunnen die een handstand in het water maken, zonder dat ze handen hebben?'

In het midden van de vijver drijven een paar eenden in het water. Af en toe bewegen ze even hun poten, zodat ze langzaam heen en weer dobberen. Een van hen duikt met zijn kop in het water. Zijn staart steekt in de lucht en ik zie zijn poten. Daar staat hij dus niet op. Of heeft een eend vier poten? Ik heb er nog nooit over nagedacht.

'We zijn ontdekkingsbureau Brand. Wij lossen al uw vragen op. Mag Vuur los?'

Zo snel als Ran denken kan, kan ik niet antwoorden. Mag Vuur los, en hoe maakt een eend een handstand? En ondertussen denk ik aan de juf. Maar de hond mag niet los, straks loopt hij weer naar het brood.

'We kunnen de juf om plaatjes vragen,' zegt Ran.

Ran draait zich op zijn buik en kijkt me aan. Vuur is naast me aan het graven. Met zijn voorpoten schopt hij het zand tussen zijn achterpoten door naar achteren. Hij lijkt net een zandspuitmachine. Ik weet eigenlijk niet of een hond een kuil mag graven in het plantsoen. Ook daar heb ik nog nooit over nagedacht.

'Die geeft ze toch nooit,' zeg ik.

'Tuurlijk wel. Als we goed ons best doen, kan zij toch wel plaatjes geven.'

Meteen heb ik weer een rare knoop in mijn buik.

'Ik dóe mijn best,' zeg ik. 'Maar juf vindt van niet.'

Ran springt op. 'Nou ja,' zegt hij. 'Maar wij zijn ontdekkingsbureau Brand. En om te beginnen moeten we één ding weten.'

'Hoe die eenden een handstand maken,' zeg ik.

'Ja, ook. Maar eerst iets veel belangrijkers.' Ran steekt zijn vinger omhoog. 'Wie is de man met de zwarte schoenen?'

8 De man met de zwarte schoenen

'Zwarte schoenen,' fluister ik naar Ran, als we voor de winkel staan.

'Klittenband,' fluistert Ran terug. Hij kijkt erbij als een echte detective. Niemand mag zien dat wij iets weten.

'Puntschoenen.'

'Ja.'

Ran gaat naar binnen en ik wacht. Bij de trap staan kinderen die plaatjes vragen. Ze willen allemaal Vuur aaien. Ik blijf rechtop staan en zeg zo af en toe: 'Kijk uit, hij kan bijten.' Of ik zeg: 'Is goed, voor een pakje plaatjes.'

Ik schrik. Ran is opeens terug en springt zowat op mijn rug.

'Kom mee,' zegt hij opgewonden. We steken de straat over en aan de overkant zegt hij: 'Ik weet wie het is. Hij is lang en heeft een bril en zulke oren.'

'Weet je het zeker?' vraag ik.

Ran knikt. 'Ik kon hem eerst niet vinden. Toen zag ik een man bij de kaas. Ik ben plat op mijn buik gaan liggen, onder het gordijntje van de kaastafel gekropen, en toen zag ik zijn schoenen. Heel grote schoenen.' Ran proest het uit. 'Dag schat,' zegt hij weer. 'Kun je wat plaatjes voor de jongens uit de klas regelen?'

'Kijk,' zegt Ran, als ik de volgende dag op school kom. Hij laat me een tekening zien van een man met ontzettend lange zwarte puntschoenen, en de juf met een idioot dikke kont. Ik word hartstikke rood.

Ran kijkt heel blij. 'Ik leg hem straks op haar bureau,' zegt hij.

'En als ze erachter komt dat jij hem hebt gemaakt?'

Ran schudt zijn hoofd. 'Daar komt ze niet achter.'

Ran en ik gaan de klas in. Op mijn tafel ligt mijn schrijfschrift. Ik heb weer niet goed geschreven.

'Juf!' roep ik. 'Ik word hier gek van, wat is er niet goed? Ik krijg die o's niet ronder, hoor!'

De juf draait zich naar me toe. 'Hou op met je gegil, Sam. Gedraag je.'

Ik plof neer op mijn stoel. Hoe leer ik ooit zo precies schrijven? Waarom is dit niet goed genoeg? Ik kan niet meer.

Ran draait zich naar mij om. Met zijn hand die de tekening vastheeft, maakt hij een gooigebaar naar het bureau van de juf. Mijn hart gaat ineens als een wilde bonken. Hij moet het niet doen!

Juf heeft niets in de gaten. Ze loopt door de klas.

Ran gooit de tekening op het bureau. Meteen sta ik op, loop ernaartoe en gris het papier weg. Als ik langs Ran kom, sis ik hem toe: 'Ze ziet zo dat jij hem hebt gemaakt, gek.'

'Sam.' Juf staat achter in de klas en kijkt me boos aan. 'Wat ben je nu weer aan het doen? Kun jij niet eens één keer gewoon op je plaats blijven zitten? Ik word stapelgek van jou. Wat deed je bij mijn bureau?'

'Niets,' antwoord ik.

'Niets?' zegt ze. 'Hoezo? Waarom bleef je dan niet zitten?'

Die tekening!

'Nou ja, goed. Als je toch hier staat en denkt dat je niets te doen hebt...' Ze loopt naar haar bureau en pakt een blaadje uit een stapel papieren.

'Kijk, je aardrijkskundeoverhoring. Lijkt wel erg veel op die van Suus. Alleen jammer van de letters. Het is namelijk Rotterdam, in plaats van Rotterbam. Dus als jij nu eens in de pauze alles over gaat schrijven, maar dan met de juiste letters, dan lijkt me dat een heel goed plan. En nu – zitten!' Ze zegt het zo hard dat ik bijna naar mijn stoel geblazen word, met het papier nog in mijn hand.

Er is niemand in de klas. Ik moet alle steden tien keer overschrijven. De tekening heb ik verscheurd en weggegooid. Ran is buiten, die moest gaan spelen.

Rotterdam, Rotterdam, Rotterdam, ik ga die o en die a niet overdreven netjes schrijven, anders kom ik nooit klaar en dan kan ik niet meer buiten spelen. Eigenlijk is het enige geluk van deze hele dag dat we vanmiddag vrij hebben. Dan ga ik naar huis en de hele tijd Vuur knuffelen. Ik neem hem mee naar boven, kleed me uit, trek mijn zachte pyjama aan en dan gaan we samen naar bed. Vuur in mijn armen. Mijn trouwe warme vriend, die altijd van me houdt. Ik voel hem nu al in mijn armen liggen.

9 Vuur

Het is kwart over twaalf, de juf doet nog steeds boos, maar ik ga lekker naar huis. Als ik mijn jas pak, komt Ran naar me toe. 'Ga je mee?' zegt hij. 'Dan gaan we iets nieuws verzinnen.'

'Wat?' zeg ik.

'Iets voor de juf, dat we plaatjes krijgen.'

'Nou,' lach ik, 'dan moet je niet zulke tekeningen maken. Maar ik kom straks. Ik ga eerst naar huis.'

'Waarom?' vraagt Ran.

'Vuur knuffelen.'

'O ja.'

Ik slinger mijn rugzak op mijn rug en loop naar buiten. Mijn moeder staat op het plein. Waarom? Ik ben met de fiets, dan haalt ze me nooit op. Ik ren naar haar toe. Ze staat er een beetje stijf bij.

'Pak je fiets maar,' zegt ze.

'Wat is er?' vraag ik.

Mijn moeder schudt haar hoofd. 'Ik kom je halen, we zetten de fiets achter in de auto.'

'En Daan?' vraag ik.

'Die zit al in de auto.'

Ik loop naar de stalling, doe mijn fiets van het slot en rijd over het plein. Eigenlijk mag het niet, maar ik doe het toch.

Zonder iets te zeggen pakt mijn moeder de fiets en zet hem achter in onze bestelbus.

'Wat is er dan?' vraag ik.

Met haar hoofd wenkt ze: kom maar. Ik loop om, trek de schuifdeur van de auto open en klim in de bus. Mijn broer zit voorin, hij kijkt recht voor zich uit en zegt ook al niets. Wat is er? Heb ik iets fout gedaan?

Mijn moeder gaat niet voorin zitten, maar naast me. Maak het nog gekker! Ze kijkt me aan en zegt: 'Vuur heeft een ongeluk gehad.'

'Is hij dood?'

Mijn moeder knikt.

Meteen begin ik te huilen, maar ik geloof het niet.

'Hoe is het gekomen?' vraag ik en veeg over mijn gezicht.

'Papa en Vuur waren in de polder,' zegt mijn moeder zacht. 'Vuur liep een andere kant op, het leek alsof hij iets rook, iets lekkers, of een vrouwtje, ik weet het niet. Papa riep hem, maar hij luisterde gewoon niet, dat kon hij nog niet zo goed, hij was het aan het leren. Papa wilde doorlopen omdat de keuken bezorgd zou worden. Ineens kwam er een knetterbrommer voorbij. Vuur schrok zo erg dat hij zich omdraaide en als een speer wegrende, terug naar huis, over de drukke weg, tegen een auto op. Papa heeft nog heel hard geroepen, maar Vuur luisterde niet.'

Ik kijk mijn moeder aan. 'Is het echt waar?' vraag ik.

Ze knikt. Daan vloekt. Ik voel me raar. Hard. Het lijkt alsof mijn oren en alles dichtgaan, alsof ik er niet ben. Met mijn mouw veeg ik het snot af.

'Nou, vooruit,' zeg ik. 'Naar huis.'

Mijn moeder stapt tussen de twee voorstoelen door, gaat zitten, start de motor en rijdt weg.

Thuis staat de keuken vol met keukenkastjes die in plastic gewikkeld zijn. Mijn vader staat ertussen, hij heeft er net een uitgepakt. Zodra wij binnen zijn, komt hij overeind en kijkt ons aan. In zijn ogen staan tranen. Hij zegt niets, schudt alleen zijn hoofd.

'Waar is hij?' vraag ik.

'In een soort dierenziekenhuis,' zegt mijn vader schor.

'Alleen?' vraag ik. 'Dood?'

Mijn vader knikt.

'Helemaal alleen?'

Mijn vader knikt weer.

'Ben je gek of zo?' roep ik.

'Hoezo?' vraagt mijn vader. Mijn moeder wil een arm om me heen leggen, maar ik duw haar arm weg.

'Die hond laat je toch niet alleen!' roep ik. 'Ik moet naar hem toe.'

'Hij heeft bloed aan zijn kop,' zegt mijn vader. 'Hij ziet er niet fijn uit.'

'Dan ga ik hem schoonmaken.' Ik moet heel snel iets doen, anders ga ik zo hard janken dat ik uit elkaar knap.

'Wil je dat echt?' vraagt mijn moeder.

'DAT ZEG IK TOCH!'

Mijn broer wil niet mee. Die gaat in de kale kamer op de vloer liggen. Hij zegt niets, kijkt alleen maar naar de tv. Mijn moeder blijft bij hem en wij gaan. Met Vuurs deken, een emmer, shampoo, een föhn en twee schorten.

We rijden de stad door zonder iets te zeggen. Het is gewoon niet waar. Het kan niet.

Na een tijdje stoppen we bij een donkerrood gebouw.

Mijn vader parkeert de auto en we lopen samen naar de ingang. Binnen zit een mevrouw achter een balie. Ze kijkt ons ontzettend aardig aan. Mijn vader zegt dat we voor Vuur komen. De mevrouw belt iemand op, we moeten wachten en even later mogen we doorlopen, door een kale gang, naar een kamertje toe. Daar ligt Vuur. Op een tafel. Stil, keihard, met zijn poten recht vooruit. Nu zie ik het. Hij is dood.

Mijn vader blijft naast me staan, als ik naar Vuur kijk. Hij ligt daar zo stil. Zijn kop zit vol bloed. Is hij daarmee tegen die auto geknald? Ik loop naar hem toe en sla mijn armen om hem heen, net als altijd. Kan mij het schelen dat ik vies word van het bloed.

'Vuur,' zeg ik steeds maar weer. 'Vuur.' Hij is koud, maar ik voel dat zijn haren nog zacht zijn.

Ondertussen vult mijn vader een emmer met water. Hij komt naar me toe en zet de emmer naast me neer. 'Wil jij het doen?' vraagt hij.

Ik trek een schort aan, pak een spons uit de emmer en veeg zacht over de kop van Vuur.

'Het hoeft niet voorzichtig, hè pap,' zeg ik. 'Hij voelt het nu niet meer.'

Mijn vader knikt. Maar toch veeg ik hem heel voorzichtig schoon.

'Had hij pijn?' vraag ik ondertussen. 'Zag je het gebeuren?'

'Nee, ik hoorde alleen een klap.'

'En toen lag hij daar?'

'Ja, op de stoep, weggeslingerd.'

Ik ril, maar ik ga door. Mijn hond moet helemaal schoon, helemaal mooi.

Als het klaar is, spoel ik mijn handen en pak de föhn van mijn vader aan. Hij heeft de stekker al in het stopcontact gedaan. Ik druk op het rode knopje en er komt warme lucht uit de föhn. Rustig beweeg ik hem over de kop van Vuur, totdat hij warm wordt, misschien toch weer voor altijd. Als ik zo bezig ben, word ik blij, en voel ik verder gelukkig niets.

Vuur is klaar. Hij ligt nog precies hetzelfde. Als ik een poot optil, valt hij recht en stijf weer naar beneden.

'En nu?' vraag ik, als ik hem weer omarm en mijn hoofd op de hond leg.

'We kunnen hem hier laten.'

'En dan?'

'Dan wordt hij hier verbrand.'

'Getver, zo zielig.'

'We kunnen hem ook meenemen en in de tuin begraven.'

'Ja.'

Mijn vader moet het eerst vragen aan Daan en mijn moeder. Hij loopt naar de hoek van de kamer om te bellen. Ik heb Vuur alweer omarmd en fluister lieve woorden in zijn oor. Dat ik van hem houd en dat hij nog zo klein was. Dat ik hem wat wilde vertellen en dat ik juist zo'n zin had om bij hem te zijn. Gelukkig ben ik nu bij hem.

10 In de kuil

Het is goed, Vuur gaat met ons mee. Mijn vader wikkelt hem in zijn deken, tilt hem op en loopt met hem naar buiten. Bij de auto geeft hij de hond aan mij. Het is moeilijk om hem vast te houden, met zijn stijve poten zo recht naar voren.

Ik ga achterin zitten, met Vuur op mijn schoot. Als mijn vader wegrijdt, schuif ik de deken opzij. Vuurs ogen zijn nog steeds open. Hij kijkt naar niets.

'Doe je ogen maar dicht,' fluister ik.

Natuurlijk kan dat niet. Vuur kan niets meer.

'Slaap maar,' zeg ik.

Vuur hoort ook niets meer.

Thuis loop ik de tuin in en leg Vuur op de tafel. Daan komt erbij staan. Hij kijkt, huilt en loopt weg.

Ik trek de deken nog iets verder van Vuur af. Nu is zijn kop te zien. Er zit geen wond. Mijn vader vertelde dat het bloed uit zijn oren was gekomen en dat betekent dat zijn hersens kapot waren.

Op de grond ligt een touw met een bal eraan. Ik raap hem op en laat hem boven Vuur slingeren. Maar hij speelt niet.

'Doe niet zo idioot, die hond is dood,' zegt Daan vanaf de vuilnisbak waarop hij is gaan zitten.

Ja, ik weet ook wel dat die hond niet speelt, maar toch

ga ik door. Totdat mijn moeder naar buiten komt met de mand van Vuur.

'Zullen we hem daarin leggen?' vraagt ze.

'Ja,' zeg ik.

'Nee,' zegt mijn broer vanaf de vuilnisbak bij de keukendeur. 'Die mand blijft hier.'

'Hij is van Vuur,' zeg ik.

'Niet, van mij,' zegt Daan.

'Egoïst.'

'Kijk naar jezelf, uitslover. Gaat die hond een beetje wassen. Getver.'

Ik laat Vuur alleen, loop naar mijn broer en schop hem tegen zijn been. Meteen staat hij op en geeft me een schop terug. Net als ik hem een knal voor zijn kop wil geven, komt mijn vader het huis uit. Hij pakt ons allebei bij een arm en kijkt ons streng aan. Ik ruk me los en loop naar Vuur toe. Dan maar in de deken in het graf.

Mijn moeder komt aanlopen met een rood kussen. De andere kant is goud en aan de punten hangen kwasten.

'Een koningsbed,' zegt ze. Ik hoor dat ze probeert grappig te zijn, zodat ik even moet lachen. Maar dat doe ik niet.

Achter in de tuin, onder een boom met halfkale takken, hebben Daan en mijn moeder een gat gegraven. Naast het gat ligt zwarte aarde.

Mijn moeder legt het kussen met de rode kant naar beneden in de kuil. Mijn vader houdt Vuur vast. Daan blijft op de vuilnisbak zitten, maar ik sta naast mijn vader als hij Vuur met die stijve poten naar voren in de kuil legt. Het past net.

Vuur merkt er helemaal niets van, hij ligt daar maar als een strijkplank met open ogen. Ik plof op mijn buik en trek het dekentje over zijn kop.

'Zo,' zeg ik. 'Hij hoeft niets meer te zien.'

Dan sta ik op en loop de keuken in. Ik kom terug met alle spullen van Vuur: een kluif, een bot, sokken, een balletje, en zijn etensbakken. Weer plof ik op de grond en ik leg alles boven op Vuur.

Daan komt erbij staan. 'Ze liggen allemaal verkeerd,' zegt hij. Ik kijk op en zie Daan met zijn handen in zijn zakken staan.

'Hoe dan?' vraag ik.

'Niet op de hond, maar aan de zijkant,' zegt hij.

Ik schuif iets naar voren, om beter in de kuil te kunnen.

'Alsjeblieft Sam,' zegt mijn moeder. 'Val er zelf niet in.'

Dat doe ik niet. Als alles goed ligt, sta ik op. Met zijn vieren kijken we naar onze hond in de kuil.

'Nu moet de kuil dicht,' zegt mijn vader na een tijdje. 'Wie helpt er mee met scheppen?'

Daan draait zich om en loopt weg. Mijn moeder ook. Mijn vader pakt een schop die rechtop in de grond staat en geeft hem aan mij. Hij pakt de andere, schept een hoop aarde en laat die in de kuil glijden. De aarde komt op Vuurs poten. Weer gooit mijn vader een schep aarde in de kuil. Ik doe het ook, beetje bij beetje. Het enige dat ik hoor is de schop die in de grond gaat en de aarde die in de kuil valt. Verder is het stil. Mijn vader en ik werken hard, totdat er van onze hond niets meer te zien is. Mijn vader schept nog even door, er komt een heuveltje op de kuil. Eigenlijk zouden we de aarde moeten platstampen, maar dat lijkt me niet fijn voor Vuur.

Achter me hoor ik Daan zijn neus ophalen. Als ik omkijk, zie ik dat hij huilt. Mijn vader huilt ook. Zonder dat ik er iets van gemerkt heb, lopen er tranen over zijn wangen.

Ik niet. Ik heb de hond gewassen, gedragen, ingepakt en toegedekt. Mijn buik is een harde dikke klont. Ik til de schop op en sla er keihard mee op het zand naast de heuvel. Zo! En nog een keer! De achterkant van de schop petst op de harde grond. Ik wil weer slaan, maar mijn vader houdt me tegen. Hij pakt de schop uit mijn hand, loopt naar de schuur en zet allebei de schoppen ertegenaan. Ik blijf staan waar ik sta. Waar Vuur is begraven, is de aarde veel zwarter dan de rest.

Mijn vader komt terug, hij legt een arm om me heen.

'Sorry,' zegt hij en veegt met de achterkant van zijn hand langs zijn neus.

'Waarvoor?' vraag ik.

'Dat ik hem...' zegt mijn vader met een schorre stem.

'Stil,' zeg ik snel. 'Hou op.'

Straks gaat het niet meer. Dan val ik uit elkaar in duizend stukjes die je nooit meer lijmen kunt.

We gaan pannenkoeken eten bij de Bosrand. Omdat de keuken nog niet klaar is en omdat Vuur dood is.

Maar ik hoef geen pannenkoek, alleen een glaasje cola en heel hard schommelen in de speeltuin. Zo hoog dat ik met mijn voeten de hemel raak en er onder mij een pauw uit de kinderboerderij zijn grote staart openvouwt. Ik schommel door, hij moet maar aan de kant gaan, die pauw. Zijn staart is nu zo hoog dat ik hem bijna kan raken.

In de verte blaft een hond. Vuur!

Ik stop met schommelen, spring naar beneden en ren in de richting van het geluid. Om de hoek van het restaurant komt een hond aangelopen. Het is Vuur niet, maar een lelijke dikkerd.

We gaan naar huis. Niemand eet de pannenkoek helemaal op.

Thuis ligt er iets bij de voordeur. Een nephond en twee zakken snoep, van de buurman. Met een briefje erbij dat het hem spijt. Ik begrijp de brief niet, maar de snoep lust ik wel. Voorzichtig duw ik de voordeur open en kijk om het hoekje. Misschien dat Vuur er toch weer is.

Niets.

Ik loop de lege gang in en geef een rotschop tegen de nephond. Dan raap ik hem op en ga de kamer in. Alles is overal leeg. De tafel en de stoelen staan er al en de muren zijn geverfd, maar toch is het nog kaal. En geen Vuur. De deur van de bench staat open. Ik spring op de bank en slinger de stomme pluchen hond door de kamer.

'Doe even rustig!' roept Daan, die alweer voor de tv gaat liggen.

Maar ik doe het niet. Ik spring van de bank af, ren door de kamer naar de keuken, maak een paar bochtjes om de keukenkastjes en ren weer terug. Ik spring boven op Daan en wil gaan paardjerijden op zijn rug. Hij mept naar achteren, ik trek hem aan zijn haren. Hij draait zich om en ik rol van hem af. Met mijn billen op de grond. Ik sta op, geef mijn broer een klap en ruk de zak snoep open. Te hard. Alle snoepjes liggen op de grond. Er komt niemand met zijn stofzuigersnoet over de grond gesnuffeld om ze achter elkaar op te vreten.

Ik ben hartstikke moe als ik op bed lig. Daan ligt in zijn eigen bed. Mijn buik doet nog steeds pijn. Ik ben al drie keer naar de wc geweest. Steeds denk ik aan Vuur en dan doet alles zo'n pijn vanbinnen dat ik heel hard niet aan Vuur denk. Ik wil slapen, alles vergeten en morgen gewoon weer doorgaan.

'Daan,' fluister ik.

Hij murmelt wat.

'Slaap je?'

Hij murmelt weer wat.

'Ik heb het koud.' Ik stap uit bed en loop naar hem toe. Ik klim over hem heen, sla het dekbed terug en ga naast hem liggen. Zijn bed is ook koud.

11 School

Het is maandag. We moeten naar school. Maar ik wil mijn bed niet uit. Er is toch niemand die blij is als ik opsta. Zaterdag niet, zondag niet, en vandaag ook niet. Ik hoopte nog dat Vuur terug zou komen, dat hij uit een van de keukenkastjes zou springen, toen ze zaterdag vastgemaakt werden. Dat hij teruggebracht werd door de dierenambulance. Dat ze hem weer heel hadden gemaakt, dat ik het maar gedroomd had. Maar dat was allemaal niet zo. En nu moet ik naar school. Mijn hart bonkt al de hele tijd. In mijn lijf zit zoveel zand dat ik niet kan opstaan. Ik wil niet naar school. Wat moet ik zeggen? Dat mijn hond dood is? Nee, ik zeg niets. Ik ga niet naar school.

Maar ik moet erdoorheen. Dat zegt mijn vader. Waardoorheen?

We gaan lopend naar school. Net zoals de eerste dag, mijn vader en moeder voorop, dan Daan en ik erachteraan. Heel ver achteraan. Ik ga niet zo snel als de anderen.

'Schiet op,' zegt mijn moeder. 'Je komt te laat.'

'Nou en,' zeg ik en schop tegen een steentje. We lopen langs de bomen in de stoep. Bij elke boom denk ik: goeie poepplek voor Vuur. En dan wordt alles zwart en weet ik niet meer waar ik ben.

Als we bij school aankomen, is het plein leeg. We gaan naar binnen, het is eng stil. Mijn vader loopt met

Daan mee, en mijn moeder met mij, naar de gymles. Ze wacht op me totdat ik omgekleed ben en samen gaan we het gymlokaal in. Mijn moeder roept de juf, ze komt naar ons toe en wil bijna boos zeggen dat we te laat zijn, maar mijn moeder vertelt over Vuur en ik ga rennen. De touwen hangen uit, ik pak er een vast en klim erin. Als ik boven ben, pak ik het volgende touw en slinger me ernaartoe. Vanuit de lucht zie ik de juf iets zeggen tegen mijn moeder. Ze loopt weg. Mijn moeder kijkt om zich heen, ik denk dat ze mij zoekt. Ik roep haar en zwaai. Mijn moeder zwaait terug en gaat het lokaal uit. Ik slinger naar het volgende touw. De kinderen kletsen net zo lang totdat de juf zegt dat ze stil moeten zijn. Ik zie Ran, hij zwaait naar me en maakt schrijfbewegingen in de lucht. Ik weet niet wat hij bedoelt. Ran wil ook in een touw klimmen, maar wordt tegengehouden door de juf. Hij moet op de bank gaan zitten, bij de andere kinderen. Nu roept ze mij. Ik kom niet, ik blijf liever hoog in de lucht. Toch moet ik naar beneden komen en ook op de bank gaan zitten.

'Zo Sam, vertel het maar,' zegt de juf.

Ik vertel niets.

'Van je hond,' zegt de juf.

Ik trek mijn schouders op. Ik wil niet aan de hond denken.

'Zal ik het dan maar vertellen?' vraagt de juf.

Vertellen? Ik weet het niet.

'Nou,' zegt de juf. 'Sam had een hond. Vrijdag is hij doodgereden.'

'Oh!' roepen sommige kinderen. Ik spring op en ren weg, naar de touwen. Ik geef er een zwiep aan, zodat ze allemaal heen en weer gaan slingeren, en ren dan naar de andere kant van de zaal. De juf roept mij, ik hoor het wel. Ik kom niet.

'Rot zeg, van je hond,' zegt Ran, als we in de kleedkamer zijn. 'Maar ik heb een tekening gemaakt met de computer en er iets bij geschreven. Wil je hem zien? Waar bleef je? Ik had de hele tijd op je gewacht. Toen heb ik het maar alleen gedaan.'

'Welke tekening?'

'Van de juf!' zegt hij vrolijk. 'Die we gaan geven. Ik heb erbij gezet dat we er heel veel willen.'

'Wat?'

Ran gooit zijn hoofd in zijn nek. 'Hallo,' zegt hij. 'Koppie, koppie. Plaatjes!'

Ik trek mijn schouders op.

'Wat is er?' vraagt Ran.

'Ach, laat maar zitten,' zeg ik.

Ran blaast de haren uit zijn ogen. 'Nou zeg. Heb ik voor niets zitten hannesen. Het was hartstikke moeilijk.'

'Ja,' zeg ik. En kijk naar Ran die naar zijn kleren loopt en zijn schoenen uitschopt. Ik weet niet wat ik moet doen. Ik wil alleen maar Vuur omarmen, maar mijn armen zijn koud.

We moeten een taalles doen. Als ik in mijn boek kijk, zie ik zwarte strepen. Ik weet niet wat ik moet opschrijven. Mijn buik doet raar. Alsof er een dikke veer in zit die uit zichzelf op en neer springt. Ik sta op en loop door het gangpad naar voren. Daar wil ik door het andere gangpad terug en zo een beetje door de klas lopen, maar de juf houdt me tegen. Ze pakt me bij mijn pols en kijkt me aan. 'Ik begrijp het wel van je hond,' fluistert ze. 'Ik heb zelf ook een hond. Maar nu moet je gaan zitten.'

Ik schud mijn hoofd. 'Gaat niet,' zeg ik.

Na school komt mijn vader de klas in.

'Hoe ging het?' vraagt hij.

'Goed,' antwoord ik.

'Mooi,' zegt mijn vader. Hij loopt naar de juf.

'Hoe ging het?'

Juf schudt haar hoofd.

'Hij heeft niet stilgezeten,' zegt ze.

'Logisch,' zegt mijn vader. 'Dat snapt u toch wel?'

'Jawel, ik heb ook een hond, maar Sam moet wel wat doen.'

Mijn vader perst zijn lippen even op elkaar. 'U heeft zeker nooit een hond gehad die is doodgegaan?' vraagt hij. 'Wees een beetje clement met mijn jongen, juf.'

Hij draait zich om en loopt naar me toe. Ik sta nog bij mijn tafel. Een beetje clement, dat lijkt op cement.

De volgende dag komt Ran naar me toe. 'Zullen we voetbalplaatjes ruilen?' vraagt hij. 'Ik heb er zaterdag een heleboel gekregen. Mijn oma was er, en mijn oom en tante.'

'Nee,' zeg ik.

'Nee?' zegt Ran. 'Wat, nee?'

'Ik heb geen plaatjes.'

'O.' Ran schudt zijn hoofd, zodat zijn haren een beetje wapperen. 'Wil je geen plaatjes?'

Ik trek mijn schouders op.

'Wil je niet meer de juf bespioneren?' vraagt Ran. Hij kijkt me aan en zucht. 'Natuurlijk niet – je speurhond.'

Hij kijkt naar het pak plaatjes, waar een elastiekje omheen zit. Met zijn nagel gaat hij over de stapel, het geeft een grappig geluid.

'Ik was zaterdag in het winkelcentrum. Daar zag ik bij de dierenwinkel een vogel met een gekke kuif. Echt iets voor jou. Koop die, dan heb je weer een beest.'

'Nwah,' zeg ik. 'Misschien.'

Dora, Suus en Lisa komen over het schoolplein gelopen. Zij hebben ook voetbalplaatjes. Iedereen spaart, maar ik niet.

12 Stom

We spelen trefbal in de gymzaal. Juf Deolinde staat op een bank tegen de muur geleund. Ze heeft niet eens sportkleren aan en ze beweegt niet. Zo kan ze natuurlijk nooit goed zien of er iemand geraakt wordt. Ik gooi keihard, het gaat hartstikke goed. Hoe harder ik gooi, hoe minder ik denk. Eindelijk gaat het goed! Bam, Dora is af. Bam, Rachid is af. Bam, Noah. Steeds gooi ik Ran bijna af, maar hij kan goed opzij springen.

'Ik krijg je nog wel!' roep ik.

'Ik krijg jou nog wel!' roept hij terug.

De juf fluit. Ran vangt de bal en we kijken haar aan. Niemand is af, niemand heeft iets verkeerd gedaan.

Juf Deolinde legt een vinger op haar lippen. 'Ssst,' zegt ze. 'Niet roepen.'

Ran stuitert de bal op de grond. 'Oké!' roept hij. 'Gaan we nu verder?'

'Dat bedoel ik dus,' zegt de juf. 'Niet roepen.'

Ze snapt het niet. Als je speelt, ga je roepen, omdat ballen leuk is. Ik kijk Ran aan. Hij kijkt met schele ogen terug. Ik weet wat hij daarmee bedoelt: 'Ik word gek van de juf.'

Ze fluit, we mogen verder spelen. Ran gooit natuurlijk de bal naar mij en ik spring opzij. Niet geraakt! Ik ren naar achteren om de bal te pakken, maar er wordt gefloten.

'Sam, op je plaats blijven staan,' zegt de juf.

Ik blijf staan en draai me om. 'Juf, ik ga de bal pakken, we moeten toch winnen.'

'Achterin staat Rosa, die moet de bal vangen en teruggooien. Jij bent niet de enige in het veld.'

Ik kijk weer naar Ran en we weten allebei wat we bedoelen: Rosa kan niet gooien, zo winnen we nooit.

Rosa gooit naar Henkie, die zo bang is voor de bal dat hij hem meteen over de lijn gooit, naar de andere partij. Ran duikt naar de bal, vangt hem, draait zich om naar mij en gooit keihard. Ik spring weg, de bal suist vlak langs Lisa, die ook net op tijd kan wegspringen, en stuitert twee keer op de grond. Gered!

'Af!' roept de juf en blaast op haar fluitje.

'Nee hoor!' roep ik.

'Wel waar! Lisa, jij bent af!'

'Nee, juf, niemand is af.'

'Eruit.'

Ik loop naar de juf en gooi mijn armen omhoog. 'Ik zag het toch zelf, ik sta vlak naast haar.'

'Ga er maar uit,' zegt de juf.

'Maar ze is niet af!' Het hele spel ligt weer stil. Zo schiet het nooit op.

'Nee, ik wil dat jij eruit gaat. Heb je me niet gehoord, Sam?' vraagt juf Deolinde.

Natuurlijk heb ik haar gehoord. Maar ze heeft geen gelijk.

'Eruit,' zegt de juf.

'Waarom?' vraag ik.

'Omdat ik het zeg.'

'Ja juf, maar waarom?'

Streng kijkt juf me aan. Ze wijst naar de deur van de gymzaal en zegt niets meer.

Ik loop weg en als ik vlak bij de deur ben, schop ik

nog even tegen een korfbalmand die bij de muur staat en hobbelend wegrolt.

In de kleedkamer ga ik op de bank naast mijn schoenen zitten wachten. Er zal toch wel iemand komen? De juf om te zeggen dat het haar spijt, dat ze het niet goed heeft gezien. Of Lisa, of Ran.

Ik hoor de bal in het gymlokaal stuiteren en ik wacht.

Maar er komt niemand.

Bekijk het maar. Ik kleed me aan, loop de kleedkamer uit, de gang door, naar buiten. Het is nog doodstil op het plein, iedereen is in de school. En ik ga lekker naar huis.

'Wat kom jij doen?' zegt mijn moeder, als ik binnenkom. Ze heeft de telefoon in haar hand. 'Wacht even, ik bel je zo terug,' zegt ze tegen iemand.

Ik loop de gang in. Mijn moeder komt achter me aan. Ik spring de trap op en stamp verder, ook al roept ze me terug.

'Waarom ben je zo vroeg uit?' vraagt ze.

'Daarom!'

Met grote sprongen komt ze achter me aan. Ik glip mijn kamer binnen en ga op bed liggen. Als mijn moeder binnenkomt, ben ik al helemaal verstopt onder mijn dekbed.

'Sam,' zegt ze.

'Ga weg!' roep ik.

'Sam, vertel me waarom je zo vroeg uit bent.'

'Daarom.'

Het blijft stil. Mijn moeder is er nog wel, ze zit op mijn bed.

'Ik geloof je niet,' zegt ze na een tijdje.

'Jij ook al niet!' roep ik.

'Wie dan nog meer niet?'

'Niemand!'

Ze zegt niets terug.

'Ga weg!' Ik schop vanonder het dekbed tegen mijn moeder aan. Ze staat op.

'Doe even gewoon,' zegt ze.

'Ik doe gewoon! Hoepel op!'

Het dekbed wordt van me af getrokken. 'Sam,' zegt mijn moeder. 'Waarom ben je zo woedend?'

'Daarom! Geef het dekbed terug!' Ik schop met mijn benen door de lucht. Niemand begrijpt me. Ik wil Vuur!

Mijn moeder zegt iets, maar ik versta het niet. Ik ga rechtop zitten, ruk het dekbed uit haar handen en gooi het over me heen. 'Ga weg! Of ik pak een mes en steek mezelf dood! Geloof je me niet?' Ik duw het dekbed weg, sta op van mijn bed, loop de kamer door op zoek naar een schaar. Die kan ik ook wel in me prikken.

'Wat doe je?' vraagt mijn moeder.

'Zie je dat niet?' zeg ik.

Op mijn tafeltje ligt een schaar. Met ronde punten. Liever had ik er een gehad met scherpe punten, dan had ik die lekker in mijn buik kunnen steken. Ik pak de schaar. En nu? Mijn moeder is weer op mijn bed gaan zitten. Ze kijkt naar mij, maar ze blijft heel rustig. Hoe durft ze? Ze is niet eens in paniek.

Ze pakt me bij mijn pols en trekt me op haar schoot.

'Lieverd,' zegt ze. 'Wat ben jij verdrietig.'

Hè? Ik leg de schaar op het bed.

'Nee hoor,' zeg ik. Wat moet ik nu doen? Wegrennen, de schaar weer pakken, in bed gaan liggen, gillen?

'Je holt maar door, je rent... Waarnaartoe? En ik zie je steeds zo boos zijn. Allemaal nare dingen. Hoe kan ik je helpen wat minder boos en verdrietig te worden?'

Ik trek mijn schouders op. 'Kan niet.'

De telefoon gaat. Mijn moeder klemt haar armen iets steviger om me heen. 'Lekker laten gaan,' fluistert ze in mijn oor. 'Ik ben nu bij jou.'

Samen luisteren we naar de telefoon die beneden rinkelt. Zielig alleen roept hij ons, terwijl we doen alsof we er niet zijn.

Als het stil is, sta ik op. Meteen gaat de telefoon weer.

'Ik ga toch maar even naar beneden,' zegt mijn moeder.

Als ze weg is, en ik de telefoon niet meer hoor overgaan, pak ik een potlood en de schaar. Misschien kan ik het potlood slijpen. Met een poot van de schaar rasp ik over het potlood. Het lukt niet.

Mijn moeder komt weer binnen.

'Het was je juf,' zegt ze. 'Ze wil met ons praten. Je was brutaal geweest en je hebt het spel verstoord.'

Ik gooi het potlood en de schaar op de grond. 'Zie je nu wel!' roep ik. 'Het is gewoon niet waar!'

'Wat is het dan wel?' vraagt mijn moeder.

'Mijn juf kan het niet!'

'Wat niet?'

'Trefbal! Ze zei dat Lisa af was, maar dat wás niet zo. Ik heb het zelf gezien, omdat ik erbij stond.'

Mijn moeder zucht. 'Ja, dat is inderdaad frustrerend.'

Ik weet niet precies wat ze bedoelt, maar ik snap het wel.

'Een juf die niks van trefbal weet, daar word je als kind stapelgek van. En daar wordt de juf dan weer kierewiet van.'

'Waarvan?'

'Van dat stapelgekke kind.'

Ik laat me op mijn bed vallen. 'Zie je wel!' roep ik.

'Zie je wel, wat?'

'Dat het geen goeie juf is. Als ze van mij al kierewiet wordt.'

'Sam,' zegt mijn moeder, 'schuif eens een eindje op.'

Ik schuif naar de kant en mijn moeder komt naast me liggen. Samen staren we naar het plafond.

'Als jij steeds wegloopt,' zegt mijn moeder, 'dan ziet de juf alleen maar een boos kind dat wegloopt. Ze ziet nooit een verdrietig kind dat in de buurt blijft.'

'Dat hoeft ze ook niet te zien.'

'Weet je dat ik ook verdrietig ben, en Daan, en papa? Stel je voor dat we allemaal weg zouden lopen. Hebben we net een groot huis, zijn we allemaal weg.'

Ik zie ons huis voor me. De kamer die nu ingericht is, de keuken met de nieuwe kastjes. De holle gang die nog geverfd moet worden. Helemaal leeg. En achter in de tuin ligt Vuur. In zijn eentje.

Ik kijk naar het plafond waarop we wolken hebben geschilderd. Overal zijn ze anders, en hier en daar is er een klein gouden wolkje. Die in het midden, vlak bij het raam, is het mooist. We zeggen niets. Mijn moeder kijkt ook naar de wolken. Hoe kan ik ooit binnen blijven, terwijl de juf zo stom doet?

'Misschien kun je de juf helpen met trefbal,' zegt mijn

moeder na een heel lange stille tijd. 'Dan kijk jij wie er af is.'

'Lukt niet,' zeg ik.

'Waarom niet?'

'Juf vindt dat ze het zelf heel goed kan.'

Mijn moeder zucht.

'Dan moet je het leren,' zegt ze. 'Het moeilijkste van de wereld.'

'Wat dan?'

'Verliezen, terwijl je toch gewonnen hebt.'

13 Rapport

Ik heb mijn rapport gekregen en mijn vader en moeder willen het zien. Er valt geen moer te zien aan het rapport, maar toch willen ze het bekijken. We zitten aan de tafel in de kamer, die versierd is met kerstspullen en een kerstboom met lampjes. Het is best gezellig binnen – behalve dat rapport.

Daan ligt op de grond tv te kijken. Hij moet hem zachter zetten van mijn moeder, maar hij doet het niet. Mijn vader vraagt het ook aan hem, maar Daan reageert niet. Na een paar keer vragen staat mijn vader op en zet de tv uit. Daan springt overeind.

'Wat doe je?!' roept hij.

'De tv uitzetten. Dat zie je toch. Als jij niet naar mij luistert...'

'Zet hem weer aan!' roept mijn broer. Hij is ineens heel groot en boos.

'Ho,' zegt mijn vader. 'Kalm aan een beetje. Jij hangt al uren voor die kast.'

'Nou en!' roept Daan. 'Denk je dat ik Vuur niet mis?' Meteen loopt hij weg, de kamer uit, en slaat de deur hard dicht. Het huis trilt ervan. Ik kijk gauw naar de tafel en nergens anders naar.

Ik hoor dat mijn vader de deur openmaakt en Daan roept. Maar die is al de trap op gesprongen.

'Wat nu?' zegt mijn vader.

'Even laten gaan,' zegt mijn moeder.

We zitten met zijn drieën zwijgend om de tafel. Boven is Daan, in zijn eentje.

Mijn vader haalt het rapport uit het plastic mapje, vouwt het open en leest hardop: 'Lezen: matig tot slecht. Sam concentreert zich niet en gaat zelfs in niveau achteruit.'

'Logisch,' zeg ik. 'Ik moet alleen maar van die gekke Flip en Jip boeken lezen, daar is niks aan. Die vindt niemand leuk, jullie ook niet. Ik mag geen spannende boeken lezen, eerst die hele serie Flip en Jip boeken, en dat doe ik niet, want ze gaan nergens over.'

'Rekenen. Matig. Sam is te snel afgeleid.'

'Aardrijkskunde. Matig.'

'Ik moet de landen kleuren,' leg ik uit. 'Precies binnen de lijntjes. Waarom moet Nederland per se helemaal geel gekleurd worden en niet met een paar strepen? Waarom moet Duitsland helemaal paars worden en mag het geen stippen krijgen?'

'Schrijven. Veel te slordig. Over het algemeen: Sam moet meer zijn best doen.'

Ik zucht. Nog meer mijn best doen. Ik kan niet meer.

'Gymnastiek. Veel te fanatiek.'

Mijn vader kijkt me aan. Hij lacht een beetje, hij begrijpt me wel. Toevallig is mijn vader heel lang en was hij kampioen basketballer. Ook fanatiek. Nu niet meer, hij fietst alleen nog maar.

Mijn moeder schenkt appelsap in, van haar kerstpakket. Milde appelsap, dat is nieuw. Matige appelsap, dat zou je ook kunnen zeggen. Zelfs het appelsap is matig.

'Ik word gek van al het gedoe,' zeg ik. 'Nooit doe ik het goed. Ik weet het niet meer.'

'Nee,' zegt mijn vader. 'Ik geloof niet dat we hier vrolijk van worden.'

'Wie niet?' vraag ik.

'Jij niet, wij niet, je juf niet.'

'Ben ik dan op school om de juf vrolijk te maken?'

'Nee,' zegt mijn vader. Ik hoor dat hij boos is. Op mij? Hoe moet ik het dan doen? Hoe krijg ik het allemaal goed?

'Het bestaat niet,' zegt mijn vader. Hij kijkt strak voor zich uit. Mijn hart gaat als een wilde bonken. Ik neem een slokje appelsap. Het is nog lekker ook.

'Een kind kan niet alles matig doen. En zeker onze Sam niet. Als er iemand geen matig kind is, dan ben jij dat.'

Ik schuif de lege beker naar voren en leg mijn armen op tafel. De stoel schuif ik naar achteren en mijn hoofd leg ik op mijn armen.

'Ik kan niet meer,' zeg ik.

'Logisch,' zegt mijn vader. 'Man, je werkt je kapot, maar dat staat nergens. Er staat niet: voor werken een dubbele goed.'

Mijn moeder staat op. Ze pakt het rapport, vouwt het dicht, schuift het in het mapje en legt het in de boekenkast.

'Zo,' zegt ze. 'We gaan taart eten, Kerstmis vieren, spelletjes doen, uitslapen, lachen, beetje klussen.'

'Maar eerst naar Daan,' zeg ik.

Hij zit aan zijn bureau.

'Ga weg,' zegt hij, als ik binnenkom.

Maar ik ga niet weg.

'Ga weg!'

Ik loop gewoon door.

'Ik zeg toch dat je weg moet gaan!'

Zijn bed staat tegenover het bureau. Ik laat me erop vallen. Daan zit met zijn hoofd in zijn handen geleund voor zich uit te staren. Ik kijk naar zijn rug. Hij zegt niets meer, ik ook niet. We horen de deur opengaan.

'Ga weg,' zegt Daan weer, zonder te kijken wie er is.

Mijn vader komt binnen, hij gaat naast me op bed zitten.

'Ga weg.'

Mijn vader veert een paar keer op het bed.

'Je bent niet leuk,' fluister ik. 'Ga maar weg.'

Mijn vader kijkt me aan. 'Moet ik weg?' vraagt hij.

Ik knik en mijn vader vertrekt.

'Zo,' zeg ik.

Mijn broer kijkt even om.

'Je bent er nog,' zegt hij.

'Ja.'

We zeggen een tijdje niets.

'Hé Daan,' vraag ik na een tijdje. 'Heb jij wel een goed rapport?'

Ik zie aan zijn rug dat hij knikt.

'Hoe doe je dat?'

'Gewoon,' mompelt Daan. 'Nergens aan denken.'

'Lukt je dat?'

Ik zie dat hij zijn schouders optrekt.

'Nee.'

'Hé Daan, zullen we later een heel grote hond nemen? Samen?'

Daan draait zich weer even om. Als hij weer voor zich uit kijkt, schudt hij zijn hoofd.

'Nooit meer een hond,' zegt hij.

'Nou, dan ik ook niet. Zal ik vragen of je weer tv mag kijken?'

Daan draait zich naar me toe. Hij kijkt me aan.

'Is goed,' zegt hij.

14 Mijn best

Ik denk twee weken niet aan school. En als de vakantie is afgelopen, weet ik het zeker: ik ga mijn best doen. Ontzettend mijn best!

Daan en ik zien er in onze nieuwe winterkleren weer pico bello uit.

Als ik de klas in kom, loopt Ran meteen naar me toe. We zeggen elkaar goedendag door eerst met onze handen tegen elkaar te slaan en dan met onze vuisten.

'Moet je kijken,' zegt Ran. 'Ik zit naast Henkie. We zijn verplaatst. Waar zit jij?'

Ik kijk om me heen, maar zie mijn naam nergens staan.

'Ik moet je nog wat zeggen,' fluistert Ran. 'Ik heb juf zien kussen.'

'Wat?!' gil ik.

De juf komt naar me toe.

'Sam,' zegt ze. Ik zie dat ze aardig probeert te doen. Juf is uitgerust, net als ik.

'Ha juf,' zeg ik. 'Was uw vakantie fijn? De mijne wel. Ik heb geen pest gedaan.'

Juf glimlacht. 'Mooi,' zegt ze. 'Dan kun je nu weer hard aan de slag. Kijk, jouw plaats is daar.' Ze wijst voor in de klas. Nog voorbij haar bureau, helemaal tegen de muur aan geplakt, staat mijn tafel.

'Moet ik daar gaan zitten?' vraag ik. 'Waarom?'

'Dat lijkt me beter,' zegt juf.

'Waarom?' vraag ik.

'Daarom.'

'Het lijkt me helemaal niet beter. Het lijkt me helemaal niet goed. Dat is niet leuk juf, in mijn eentje vooraan.'

'Ik denk dat je daar beter werkt.'

Ik zak bijna in elkaar. Ik was zo van plan om mijn best te gaan doen, maar niet om tegen een dooie muur aan te gaan kijken.

'Ah juf,' zeg ik. 'Mag ik niet ruilen met Henkie of zo?'

'Nee, Sam.'

Ik loop naar de muur en ga zitten. Om de juf te horen, moet ik me omdraaien en tegen haar ontzettend dikke kont aan kijken. Dat dat ding zo heet, daar kan ik niets aan doen.

We moeten alweer een opstel schrijven. Nu over de kerstvakantie. We krijgen een schrift. Dat is het nieuwe opstelschrift. IK HAAT OPSTELLEN.

'Ga je nog eens aan het werk?' vraagt de juf, als ik zit te denken hoe ik moet beginnen.

'Ik bén aan het werk,' zeg ik.

'Sam, hou alsjeblieft op,' zegt de juf.

'Waarmee?' vraag ik.

'Met je brutale gedrag. We zijn net begonnen, en je gedraagt je alweer zo.'

'Hoe, zo?'

'Sam, stil.'

'Maar wat bedoelt u, juf. Ik ben toch aan het werk.'

Juf wijst op mijn lege bladzijde. 'Noem je dat "aan het werk"?'

'Juf, ik zit te denken.'

'Je zat naar de muur te turen.'

Ik zeg maar niets meer. Een opstel schrijven. Dan maar weer over het stuken, dat heb ik deze vakantie weer met mijn vader gedaan.

Daar gaat-ie, ik denk dat ik de stokken nu wel goed kan schrijven.

Stuken met een k of met een c. Het maakt niets uit, als je het gips maar goed op de muur krijgt. Ik hielp of helpte mijn vader...

De juf komt weer bij me staan. Ik denk dat ze mijn verhaal leest. Ik bijt op mijn lip en schrijf verder.

Mijn broer hielp niet. 'Of is het helpte? Nee hè juf, volgens mij is het hielp. Maar nu u naast me staat, weet ik het niet meer.'

'Hielp,' zegt de juf. 'Dat moet je niet zo achter elkaar schrijven, dat is verwarrend.'

'Wat bedoelt u?'

'Dat je in de war raakt als je twee werkwoordsvormen achter elkaar schrijft,' fluistert ze.

Ze knielt bij mijn tafel, ik kan haar blauwe ogen zien. En de bultjes op haar voorhoofd.

'Nee hoor,' zeg ik, 'Ik raak niet in de war.'

Juf knikt. 'Wel.' Ze trekt het dopje van haar pen en zet rode strepen onder de woorden.

'Zo leer ik het juist,' zeg ik. 'Maar niet van die rode strepen, daar krijg ik de zenuwen van.'

Ik kijk naar haar benen in de strakke spijkerbroek. 'Sam, sst.' Ze legt een vinger op haar mond, draait zich om en loopt weg.

Nu ben ik weer alleen, met de witte muur. Ik kijk

naar mijn opstel en tel de rode woorden, dat zijn er zes. Er zijn bijna zestig woorden goed geschreven. Dat is dus ontzettend goed! Ik zet er een 9 onder. Ik doe mijn schrift dicht en stop het in mijn kastje. Als ik me omdraai, zie ik dat Ran naar me kijkt. De juf is net langs hem gelopen. Met zijn mond maakt Ran kusbewegingen. Ik lach. Maar te hard. Dat mag niet van de juf.

15 Verliefd

Als ik het schoolplein op kom, komt Ran naar me toe gerend.

'Kun je een geheim bewaren?' vraagt hij en blaast zijn zwarte haren opzij.

'Tuurlijk.' Ik loop keurig met mijn fiets aan de hand over het plein naar de fietsenstalling. Ran loopt met me mee en zegt het meteen:

'Lisa is op mij.'

'Echt waar?' roep ik. 'Hoe weet je dat?'

'Dora en Suus kwamen het zeggen. Ze gaven een briefje. Kijk.'

Ik zet snel mijn fiets in het rek, doe hem op slot en laat het sleuteltje in mijn broekzak glijden. Ran vouwt een roze papiertje open. Ik kijk om me heen of niemand ons ziet. Ik moet het geheim van mijn vriend bewaren!

Ik lees: 'Wil je met me gaan?'

Meteen vouwt Ran het briefje weer dicht en stopt het in zijn zak. Ik geef een klap tegen zijn schouder.

'Rannie!' roep ik. 'Wat heb je gezegd?'

Hij trekt zijn schouders op. 'Nog niets, ik kreeg het net.'

'Man! Jij bent toch ook op haar?'

Hij knikt.

'Zeg het dan.'

'Zomaar?' vraagt hij.

'Waarom niet?'

Hij kijkt me een beetje bang aan.
'Of je schrijft het op.'

Ik word geroepen. Als ik omkijk, zie ik dat Suus haar tas tegen de schoolmuur gooit en wegrent, naar de holle boom. Ze kijkt om zich heen of ze geen juf ziet en klimt dan naar boven.

'Wacht,' zeg ik tegen Ran.

Ik loop naar de boom, leg mijn hoofd in mijn nek en kijk omhoog.

'Kom eruit!' roep ik. 'Dat mag niet!'

'Kom jij maar hierheen,' zegt Suus. 'Kom dan!'

'Nee!' Ik dank je de koekoek, zeker met juf in de buurt.

'Ach joh, kom!'

Ik kijk om me heen; juf loopt net de hoek van het plein om. Ik mag toch wel even in de boom klimmen?

'Wacht even,' zeg ik tegen Ran, die met me mee is gelopen.

Met een paar stappen ben ik boven. Ik ga naast haar zitten. Suus giechelt naar me. Ze heeft een leuk scheef tandje, dat had ik eigenlijk nog nooit gezien.

'Pak me dan!' Voordat ik er erg in heb, is ze omgedraaid en laat ze zich langs de stam naar beneden glijden.

Snel draai ik me om en doe hetzelfde.

'Sam.'

Ik hoor het meteen. De juf.

Ze staat achter me. Tachtig kilo juf.

'Jij weer,' zegt juf Deolinde. 'Ik heb je toch gezegd dat je niet in die boom mag. Je luistert weer niet, hè. Denk erom. Gedraag je nu eens als alle andere kinderen.'

Ze loopt weg. Haar dikke kont schommelt. Suus, Ran, Lisa en Door staan bij me, bij de boom. De juf loopt door. Het gaat vanzelf, ik loop achter haar aan en wiebel net zo lenig met mijn billen. Als ik achterom kijk, zie ik mijn vrienden lachen en let ik niet meer op wat er voor me gebeurt. Ik bots tegen de kont van de juf. Ze draait zich om en is knalrood.

'Ga naar binnen, Sam,' zegt ze. 'Pak je werk en begin vast. Ik heb je gewaarschuwd.'

Op mijn tafel ligt mijn schrijfschrift. 'Overdoen' staat er op de laatste bladzijde die ik heb geschreven. Snel klap ik het schrift dicht.

De meisjes komen de klas in en lopen naar me toe.

'Hallo,' giechelen ze. 'Moest je naar binnen? We hebben je tas meegenomen.'

'Wat is dit?' vraagt Dora, die een pen met een kwastje eraan van mijn tafel pakt.

'Een pen met een kwastje eraan,' zeg ik.

'En dat?' vraagt Lisa.

'Een kneedgum.'

Suus pakt mijn etui. Ze houdt het onder haar neus en graait erin. 'Afblijven!' zeg ik en ik wil het afpakken. Maar Suus trekt het weg, waardoor er een paar pennen uit vliegen. Ik spring omhoog om het etui te pakken.

De juffrouw komt binnen. Ze komt naar me toe, houdt haar hand op en kijkt er verschrikkelijk boos bij. Ik let niet op haar hand, ik raap de pennen van de grond en doe ze weer terug in mijn etui.

'Sam, ik houd niet voor niets mijn hand open.'

'Waarom dan?' vraag ik.

Ze ontploft. Ik wil nog uitleggen dat Suus mijn etui pakte en dat ik net wilde gaan schrijven, maar ik mag niets zeggen. De juf duwt me naar mijn tafel.

'Zo,' zegt ze. 'En laat ik je voorlopig niet horen.'

Ik ga zitten en kijk achterom. Juf Deolinde loopt de klas uit om haar jas op te hangen. Ran houdt het roze briefje in de lucht, maar stopt het snel in zijn kastje als juf weer binnenkomt. Ik draai me om en ga aan het werk. Hoe krijg ik de o nog ronder? Hoe krijg ik twintig kogelronde o's? Eindelijk ben ik klaar en sla de bladzijde om. De a is ook niet goed. Hij is te rond. Ik leg mijn pen neer en zucht.

'Sam, ga eens wat doen,' hoor ik de juf zeggen.

Ik draai me om. Ran houdt heel even het briefje omhoog. Hij kijkt naar mij, en dan naar Liza.

Ik gebaar: geef het.

Hij schudt zijn hoofd.

Ik knik: Ja, doen!

Maar hij schudt nog een keer zijn hoofd.

'Sam,' zegt de juf. 'Draai je om en ga aan het werk. Dit is nu al de vijfde keer dat ik je waarschuw in een uur tijd.'

Ik draai me om en pak mijn pen. De vijfde keer? Wanneer dan allemaal? Op het schoolplein, bij het etui, nu net. Maar elke keer was het net verkeerd. Elke keer deed ik niet wat ze dacht dat ik deed.

'Ben je nu al aan het werk?'

Ik voel haar achter me en buig me snel voorover, zet de pen op het papier en probeer een goeie a. Net zo lang tot de juf weer weg is.

Er valt een roze briefje op mijn schrift. Ran staat naast me.
'Geheim,' sist hij. 'Wil jij het geven?'
Ik graai het briefje van mijn tafel.
'Wanneer?' vraag ik.
'Zo snel mogelijk.' Ran kijkt om zich heen en gaat weer terug naar zijn plaats.
Nu heb ik de brief. Wat zal ik ermee doen? Ik kan meteen naar Lisa gaan, die samen met Suus aan het rekenen is. Dan weet Suus het ook meteen.
Zou ik het mogen lezen?
Ik draai het briefje om, aan de buitenkant staat niets.
'Ja, geef maar hier.'
Juf staat naast me, ik kijk recht tegen haar buik. Ze houdt haar hand open en wacht totdat ik het briefje geef.
Snel stop ik het in mijn zak.
'Vooruit,' zegt de juf.
Ik zeg niets en ga aan het werk.
'Sam, geef hier.'
Ik doe net alsof ze niet naast me staat. Ik heb het geheim van Ran in mijn zak en mag dat niet verklappen. Anders had hij het zelf wel gedaan. Dan was hij naar Lisa gegaan en had de brief gegeven, of hij had vanochtend gezegd: 'Ja, ik wil verkering met je.' Maar dat heeft hij allemaal niet gedaan. En nu moet ik hem helpen.
'Sam, ik zag het wel, geef hier.'
Ik kijk op, de onderkin van juf trilt. Waarom is ze zo boos om een briefje? Begrijpt ze de kinderen niet? Begrijpt ze niet dat we op school meer hebben te doen dan schrijven en rekenen?
'Als jij dit briefje niet snel geeft, bel ik vanmiddag je ouders. Je weet je nog steeds niet te gedragen.'

'Wel waar.'

'O. Noem je dat "je gedragen"? Dat noem ik iets heel anders. Nu vooruit, schiet op.'

'Waarmee?'

Ze slaat met haar vlakke hand op mijn tafel. 'Wat heb je daar in je zak!'

'Niets!'

'Wel, ik zag het. Ik tel tot drie, en als je dan nog niet geeft wat je zojuist in je zak stopte, stuur ik je naar juf Jacqueline.'

Ik kijk om juf heen naar de klas. Ran is rood geworden, hij werkt niet. Lisa en Suus staren me aan. Alle kinderen zijn stil, iedereen kijkt naar ons. Moet ik juf het briefje geven? Ze zal het aanpakken, het lezen waar iedereen bij is en misschien voorlezen. Het geheim van Ran.

'Eén.' Juf houdt haar hand weer op. 'Twee. Drie.' Ze pakt me bij mijn bovenarm en neemt me mee langs de kinderen. Langs Ran. Ik haal de brief uit mijn zak en gooi hem op zijn tafel.

Pas op de gang laat de juf mij los.

'Zo,' zegt ze. 'Ik geef je nog één kans. Als je me nu het briefje geeft, hoef je niet naar juf Jacqueline.'

'Ik heb niets,' zeg ik.

Ze ontploft. Ze wordt knalrood, pakt me bij mijn bovenarm en duwt me voor zich uit, naar het kamertje van juf Jacqueline, die er niet is. Ik moet gaan zitten, in die stille kamer vol papieren.

'Dan ga je hier maar zitten, totdat je van plan bent om mij dat briefje te geven. Wat staat erop?'

Ik heb het door. De juf is bang. Bang dat er iets over haar geschreven is.

'Juf,' zeg ik, 'niets over uw dikke kont.'
Nu is ze paars.
Ze loopt drie pasjes heen en drie pasjes terug.
'Sam,' zegt ze de hele tijd, terwijl ze met haar hoofd schudt. 'Sam, Sam.'
Ik zucht. En de juf loopt maar heen en weer. Wat een gedoe.
'Juf,' zeg ik na een poosje, 'laten we nu maar weer naar de klas gaan. Er is niets aan de hand. Dan kan ik weer aan het werk. En de kinderen schreeuwen, hoort u?'
Ze gaat nog harder heen en weer lopen.
'Jij brutaal joch.'
Ze draait zich om en loopt het kamertje uit.

Ik zit op de stoel aan de tafel. Na vijf minuten heb ik alles gezien. Er hangt een kalender van het Weekjournaal aan de muur. Daarnaast hangt een bord met de namen van alle juffen en meesters. Je kunt erop zien dat vandaag, op woensdag, juf Jacqueline de hele dag afwezig is in verband met teamoverleg leidinggevenden en bovenschools management. 'Bovenschools', wat een raar woord.
Er hangen nog een paar geel geworden posters aan de muur. Er is dus geen moer te beleven hier. Zou Lisa de brief al hebben gelezen?

Als de bel gaat, kan ik eindelijk weg. Ik loop het kantoor van juf Jacqueline uit, de gang in, pak mijn jas van de kapstok en nog voordat er iemand de klassen uit komt, sta ik al op het schoolplein. Even ben ik alleen, maar al snel komen de kinderen naar buiten. Ran komt meteen naar me toe.

'Ik heb het gegeven,' zegt hij, als hij bij me is.

'En?' vraag ik. 'Wat zei ze?'

'Dat weet ik nog niet. Ze komt nu naar buiten.'

Lisa, Dora en Suus komen de school uit. Ze kijken het schoolplein over en als ze ons zien, rennen ze naar ons toe: Lisa met haar blonde paardenstaart, Dora met haar rode haren en Suus met de twee donkere staarten en haar leuke groene bril op.

'Hai,' zegt Lisa, als ze vlak voor ons staat.

'Hai,' zegt Ran terug.

Lisa en de andere meisjes giechelen.

Ran gaat ook giechelen. 'Kom je vanmiddag spelen?' vraagt hij.

Suus geeft me een duwtje. 'Pak me dan!' roept ze en rent snel weg. Ik ga haar achterna. Maar twee armen vangen me op.

'Sam,' zegt juf. 'Wat doe je hier?'

'Ik pak Suus.'

'Moest jij niet in het kamertje blijven zitten?'

Ik schud mijn hoofd.

'Heb ik gezegd dat je naar buiten mocht gaan?'

'Nee, maar het is pauze.'

'Weet juf Jacqueline ervan?'

'Nee,' zeg ik. 'Die zit boven op de school.'

16 Een leuke vogel

Als ik heel stil ben, mag ik meedoen met de knutselmiddag. We gaan vogels maken, omdat het voorjaar is. Ik zit omgedraaid op mijn stoel naar de juf te kijken. Ze laat allerlei stukken papier zien. De scharen en lijmpotten staan klaar op haar bureau.

'We gaan straks in groepjes zitten en dan gaan jullie met elkaar een vogel maken. Eerst ontwerpen, en dan met elkaar maken. Als ze klaar zijn hangen we ze in de klas. Zo halen we het voorjaar in huis,' vertelt ze.

Ik kijk naar het voorbeeld van de juf. Het lijkt niet op een vogel. Je kunt zien dat ze stroken karton heeft rondgedraaid en aan elkaar heeft geplakt. Het ziet er kinderachtig uit.

Henkie, Ran, Lisa en Suus mogen met elkaar in het groepje. Iedereen is ingedeeld, behalve ik. De twee meisjes schuiven hun tafels naar die van Henkie en Ran. Ran helpt, lachend kijkt hij naar Lisa. En zij lacht leuk terug. Suus schuift haar tafel tegen die van Henkie aan. Als hij goed staat, kijkt ze naar mij. Ze wenkt me met haar hand.

'Kom,' zegt ze.

Ik schud mijn hoofd. Mijn hart klopt snel. Suus loopt naar het bureau van juf, pakt scharen en een lijmpot en komt naar me toe. 'Kom erbij,' zegt ze.

Ik schud weer mijn hoofd. 'Mag niet,' zeg ik.

'Wel joh, zal ik het vragen?'

Ik trek mijn schouders even op. 'Doe maar. Maar het mag toch niet.'

Suus snuift, loopt naar de tafels, zet de spullen neer en gaat dan naar de juf, die bij een ander groepje staat. Ze zegt iets tegen de juf. Mijn hart klopt nu heel hard. Als juf naar mij kijkt, kijk ik heel aardig terug. De juf zegt iets tegen Suus, die meteen naar me toe komt.

'Het mag,' zegt ze.

Ik til mijn stoel op, en zonder te slepen til ik hem naar de tafels van de andere kinderen. Ik zal laten zien dat ik het heel goed kan!

Niemand gaat zitten, staand overleggen we over de kleur van de vogel.

'Roze,' zegt Lisa.

'Leuk!' roept Ran.

'Met een gele flapstaart,' zegt Lisa.

'Ja, leuk!' roept Ran weer. Hij heeft roze nog nooit mooi gevonden. Maar nu wel. Het maakt mij niets uit, als het maar een mooie, goeie vogel wordt. We lopen met zijn vieren naar het bureau van juf en pakken de grootste stroken die er liggen. Henkie blijft keurig aan zijn tafeltje zitten wachten totdat we terugkomen en de vier tafels vol leggen met karton.

Ran pakt meteen een roze strook, vouwt hem rond en Lisa mag er lijm op smeren. Ran plakt de uiteinden op elkaar, maar ze laten meteen weer los. Bij Suus en Henkie lukt het ook niet.

'Je moet het nieten,' zeg ik. 'Dan laat het nooit meer los.' Ik loop naar het bureau van de juf en pak haar nietapparaat. Voor de zekerheid zeg ik het tegen mijn juf, anders wordt ze misschien boos.

'Nee,' zegt ze. 'Er wordt niet geniet.'

'Dat gaat veel makkelijker, juf.'

'Kan wel zijn, maar dat is de bedoeling niet.'

'Thuis nieten we ook alles, zelfs de gipswanden. Klang klang klang, alles zit er zo tegenaan. "Het is een uitkomst, zo'n nietpistool," zegt mijn vader. Hij zegt het bijna elke dag.'

'Sam, je hoort wat ik zeg. Er wordt niet geniet.'

'Juf, hoort u ook wat ik zeg?'

Juf Deolinde kijkt me boos aan. Ik draai me snel om en leg het nietapparaat terug op haar bureau.

'Laat Henkie ze vasthouden,' fluistert Ran, als ik weer bij mijn vrienden sta.

Henkie zit op zijn stoel en pakt het lijf van de vogel vast. Van Suus krijgt hij nog een geplakte strook in zijn handen. Als hij rustig blijft zitten, kan hij makkelijk twee vogels tussen zijn vingers houden, en dan kunnen wij er de stroken aan vastmaken.

'We maken vrolijke vleugels,' zeg ik tegen Suus.

'Rode vleugels die flapperen in de wind,' antwoordt Suus. Ze legt twee rode stukken op elkaar en knipt er smalle strookjes uit. Als ze daarmee klaar is, wappert ze de vleugels in de lucht waardoor ze lekker ritselen. Ondertussen maak ik een gekke kuif, net als die van de vogel in het winkelcentrum. Het wordt een vrolijk beest met een rare staart, een volle kuif en heel grote vleugels. Henkie kan het allemaal bijna niet meer vasthouden. De vogel van Ran en Lisa wordt ook steeds groter. Henkie steunt met zijn ellebogen op de tafel. Zijn gezicht is verstopt achter de twee grote beesten.

'We plakken ook weer stroken op de kuif!' zegt Ran.

'We maken de vleugels nog langer!' zeg ik.

'Een staart van een meter!' roept Suus.

We knippen en plakken, het worden twee prachtige, idiote vogels.

'Ik heb lamme vingers,' zegt Henkie na een tijdje.

'Volhouden!' roepen Ran en ik.

Juf Deolinde komt naar ons toe.

'Wat is dat?' vraagt ze.

'Vogels!' roepen Ran en ik.

'Vogels? Welnee. Jullie plakken er maar wat op.'

Henkie beweegt zich niet, met al zijn vingers houdt hij de beesten vast.

'We maken een kunstvogel,' zegt Lisa.

Juf schudt haar hoofd. Ze veegt haar hand langs een van de vleugels. 'Zo kan een beest toch niet vliegen?'

'Dat hoeft ook niet,' zeg ik.

'Kijk naar de voorbeeldvogel,' zegt juf.

'Die kan ook niet vliegen,' zegt Ran.

'Waarom niet?' vraagt juf.

Ik zucht heel diep. 'Juf,' zeg ik zo rustig mogelijk. 'Omdat die van papier is, en niet van botten, vel en veren.'

'Ja maar, hij lijkt op een vogel.'

'Nee juf, helaas niet.'

Juf ontploft. Haar haren schieten bijna de lucht in. Met haar arm wijd uitgestrekt wijst ze naar de deur. 'Eruit!' zegt ze.

'Wie?' vraag ik.

'Jij natuurlijk.'

'Alweer?' vraag ik. 'Waarom?'

Juf maakt een heksenmond en perst uit haar lippen: 'Eruit!'

Ik smijt de stroken karton op de tafel en loop de klas uit. Op de gang pak ik mijn jas van de kapstok en ik ga naar buiten.

Ik fiets knetterhard! Waarnaartoe? Naar huis? Weet ik veel. Waar moet ik anders naartoe?

Stomme juf. Waarom moet ze mij altijd hebben? Waarom krijg ik op mijn kop? Het was zo leuk met elkaar. En nu is iedereen verder aan het werken, zonder mij.

Er schiet een poes onder een auto vandaan. Vlak voor mijn wiel. Ik rem keihard en gooi mijn stuur om. De poes rent terug. Ik spring van mijn fiets af en buk me. Onder de auto zit de poes.

'Hé,' zeg ik. 'Kun je niet uitkijken? Domme poes. Dit moet je nooit meer doen.'

De poes kijkt me aan alsof ze niet weet hoe gevaarlijk ze net heeft gedaan.

'Poes, je moet eerst uitkijken voordat je een weg oversteekt. Waarom moet je eigenlijk oversteken? Blijf gewoon op de stoep lopen, dan maak je een rondje en kom je vanzelf weer thuis.'

De poes blijft zitten, ze verroert zich niet meer.

'Als deze auto wegrijdt, moet jij wel op tijd verdwenen zijn, hoor, poes! Anders gebeuren er heel rare dingen.'

Die poes blijft nog steeds zitten. Wat moet ik doen? Straks rijdt de auto weg en hangt die poes eronder. Als zij dan doodgaat, of kapot, is het mijn schuld. Maar als ik haar hier wegjaag, rent ze misschien de straat op.

'Oehoe poes, ga nu weg. Schiet nou even op, sukkel.'

Er rijdt een auto vlak langs mij heen. Ik schrik me rot – alweer. Straks krijg ik een ongeluk omdat die poes daar blijft zitten. Ik loop naar de stoep en zet mijn fiets neer. In de bosjes zoek ik een stok. Als ik op mijn hurken ga zitten om de poes een por te geven, staat ze op, loopt naar mij toe, miauwt een keer en loopt dan weg over de stoep. Nu kan ik ook gaan.

17 Heen en weer

'Waar kom jij vandaan?' vraagt mijn moeder zodra ik de keuken binnenkom. 'Je juf heeft gebeld, je bent alweer weggelopen. Sam, ben je wel lekker? Dit kan niet.'

Heel even was ik vergeten wat er gebeurd is. Maar nu weet ik het weer.

'Wat is er gebeurd?' vraagt mijn moeder.

Ik trek mijn schoenen uit, loop naar de koelkast en pak appelsap. Als ik wil inschenken, houdt mijn moeder me tegen.

'Eerst vertellen, meneer. Je gaat geen stommetje zitten spelen.'

Wat moet ik vertellen? Als ik weet wat er gebeurd is, snap ik het misschien. Maar waarom werd juf zo boos op mij?

'Nou?' vraagt mijn moeder, die vlak naast me staat en een hand op het appelsappak houdt.

'Juf deed stom,' zeg ik.

'Pardon? Het is je juf, niet een straatvriendje.'

'Ze doet heel raar tegen mij.'

'Wat dan?' vraagt mijn moeder.

'We maakten een vogel, hij werd heel leuk. Maar juf vond hem niet goed, we moesten een echte maken. Dat kan dus niet.'

'En snap je niet wat de juf bedoelt?'

'Nee,' antwoord ik. 'Snap jij het wel?'

Mijn moeder zucht diep. Ze wordt vast erg moe van mij. Ik zucht ook. Ik word ook heel moe. Van alles.

'Sam,' zegt mijn moeder. 'Kun je de juf niet één keer een lol doen? Kun je niet voor haar een vogel maken zoals zij het wil?'

Ik kijk mijn moeder aan. Zijn alle grote mensen getikt, of toevallig alleen mijn ouders en de juf?

'Mam,' zeg ik. 'Waarom zal ik de juf een plezier doen met een vogel van stroken die niet op een echte vogel lijkt, die twee maanden aan een koordje aan een waslijn in de klas hangt te bungelen, die verkleurt en na een tijdje wordt weggegooid? Wat is dat voor lol?'

'Het maken, Sam.'

'We hádden lol,' zeg ik. 'Alleen niet de goeie lol.'

'En vanmorgen?' vraagt ze.

Vanmorgen? Wat was er toen?

'Klom jij in een boom wat niet mocht, gooide je met briefjes?'

Ik doe even mijn ogen dicht.

'Sam,' zegt mijn moeder. 'Ook jij moet doen wat de juf zegt, net als alle andere kinderen.'

'Ik doe wat ze zegt.'

Waarom begrijpen ze me niet? Ik krijg rare tintelende handen, ik word ineens heel warm. Ik zou willen slapen, heel lang.

'Jij gaat terug naar school, en de vogel afmaken. Precies zoals de juf het zegt.'

'Maar...'

'Niets maar. Dag Sam.'

18 Nablijven

Ik zit aan mijn tafel. Met mijn gezicht naar de muur. De strook die ik aan elkaar gelijmd heb, schiet steeds los. Als ik hem met mijn vingers dichtknijp, kan ik geen andere stroken plakken. Ik zet er mijn puntenslijper op, maar die is te licht voor het karton, de strook schiet weer los. Verder heb ik niets dat ik erop kan zetten. Wat zou zwaar genoeg zijn? Ja, de grote plakbandhouder van juf, maar die ga ik niet pakken. Ik mag niet van mijn stoel komen totdat de vogel klaar is.

Juf loopt in en uit met spullen. Morgen gaan we weer knutselen, we gaan een hele week knutselen. Dat is hartstikke leuk! Er is themaweek dieren. Morgen gaan we een dier van stof maken en opvullen. Ons eigen knuffeldier. Ook wel weer een beetje kinderachtig, maar dat zeg ik niet.

De deur gaat open. Ik hoor de schoenen van juf en ik hoor iets over de grond slepen. Ik kijk heel snel achterom en weer terug. Juf sleept een grote zak met zich mee de klas in. Ik hoor dat ze hem bij het bureau neerzet. Zonder iets tegen mij te zeggen gaat ze de klas weer uit.

De stroken liggen voor me, met aan de rand een witte klodder lijm. Ik zou andere lijm moeten gebruiken, niet van die witte klodders die ik er met een kwastje op moet smeren. Als ik goeie lijm uit een knijppot kon gebruiken, was de vogel snel klaar.

Hoe zou het met Ran zijn? Is hij met Lisa aan het spelen? En doet Suus ook mee? Ze vroeg nog, toen zij de klas uit kwam en ik er weer in ging, of ze op me zou wachten. Dat zou ik wel willen, maar het hoefde niet, zei ik.

Hé! De stroken kunnen onder mijn stoelpoot drogen! Vier stroken, onder elke poot één. Hup hup hup, met de kwast een klodder lijm op het karton, dubbelvouwen, bukken, stoel opwippen en die dingen eronder schuiven.

'Sam.'

Dat is de juf. Ik schiet overeind, stoot mijn hoofd aan het kastje en kijk de juf aan.

'Ben je bijna klaar?' vraagt ze. 'We gaan zo naar huis, de school gaat sluiten.'

Juf zet de grote potten verf die ze in haar armen draagt, op haar bureau. Dat staat nu helemaal vol met knutselspullen. Verf, lappen, scharen, garen, van alles. En die grote zak ernaast.

De juf wacht niet op mijn antwoord, ze is de klas al weer uit. Ik moet opschieten. De stroken zullen nu wel droog zijn. Ik buk me, wip een stoelpoot op, pak een strook en kom overeind. Weer stoot ik keihard mijn hoofd. Stomme tafel! Ik grijp naar mijn achterhoofd en probeer de pijn weg te duwen. Het bonkt. En ineens denk ik aan Vuur. O hond, was je er nog maar. Dan kwam je bij me en sliep je en was je lief voor me en was alles goed.

Ik moet niet huilen, geen tranen over de lijm. Niet waar de juf bij is. Schiet op! Maar het lukt niet. Het is helemaal zwart in mijn hoofd. Ik kan geen vrolijke vogel meer maken. Straks komt de juf en dan is hij niet af en krijg ik weer op mijn kop. Zal ik weggaan? Heel hard weglopen en nooit, nooit meer terugkomen? Maar dan kan ik ook niet meer naar huis, want dan moet ik terug naar school. Vuur! Waar ben je?

Ik hoor stemmen in de gang, de juf roept iemand gedag. Ik hoor de tussendeur kraken. Gaat ze weg? Laat ze mij hier alleen? Vergeet ze me? Zal ik gaan kijken? Vertellen dat ik er nog ben. Dat het niet lukt met de vogel?

Ik schuif mijn stoel naar achteren en hoor het papier scheuren. De andere stroken. Vergeten! Als vieze vodjes hangen ze aan de stoelpoten. Alles mislukt. Ik buk me en trek de papieren onder de stoel vandaan, maak er een prop van en loop weg. Mijn voet stoot tegen de zak die de juf hiernaartoe had gesleept. Hij valt om, ik val eroverheen. Uit de zak komen kleine witte balletjes, waar ik met mijn handen in val. Ik probeer op te staan, maar de zak loopt steeds verder leeg. De klas stroomt vol met honderdduizenden kleine witte balletjes. Ik krabbel overeind, stoot per ongeluk tegen het bureau van juf. Een verfpot valt eraf, zo'n grote knijpfles. Ik pak hem op, de dop schiet los en er valt een klodder verf op de grond. De zak en de ballen worden blauw. Nee! Niet doen! Stop! Ook dat nog. Straks komt de juf, of juf Jacqueline! Ik doe de dop op de verfpot en zet hem weer op het bureaublad, waar meteen een blauwe rand komt. Nu is het bureau van juf ook vies.

De balletjes moeten terug in de zak! Ik val op mijn knieën en schuif ze erin, mijn handen worden blauw, maar ik krijg het spul niet terug. De vloer wordt nu ook blauw. Wat moet ik doen?

Wat maakt het uit! Zoek het allemaal maar uit! Ik plof op mijn buik en maai met mijn handen over de grond en slinger de balletjes overal naartoe. Ik kom overeind, pak een andere verffles, haal de dop eraf en spuit naar beneden. Een rode straal valt op de zak en de balletjes. Ik pak de fles met geel en spuit hem ook leeg. Helemaal! Ook tegen de tafelpoten aan. En over het bureau van juf. Over de schriften! Er staat ook lijm. Ik spuit lekker op de grond en ook over het bureau van juf! Net goed!

Ik laat me op de grond met de rode, blauwe en witte balletjes vallen. Meteen plakt alles aan me vast. Ik zwem over de grond door de klas en veeg ondertussen de balletjes naar links en rechts. De vloer wordt nu helemaal rood en geel. Ha! Er bestaat niets meer, alleen maar ik met de balletjes.

Totdat ik twee benen zie.

19 Straf

Ik blijf liggen en kijk omhoog. Het zijn de benen van juf. Ik sluit mijn ogen. Was het maar echt zo dat ik niet bestond. Ik wil verdwijnen in de balletjes, door de grond zakken en onder de school blijven liggen.

'Juf,' zeg ik. 'Het viel. De zak viel, ik viel. De verf viel. De balletjes vielen.'

De juf zegt niets. Ik krabbel overeind, met de plakkerige balletjes in mijn handen, op mijn gezicht, overal. Ik probeer ze uit mijn gezicht te vegen, maar mijn handen blijven plakken. Bijna glijd ik weer uit over de troep op de vloer. Als ik de zooi op de grond zie, laat ik me op mijn knieën vallen om alles bij elkaar te vegen. De juf zegt nog steeds niets. Er kleven balletjes aan haar enkels.

'Sam,' hoor ik haar zeggen met een rare knijpstem. Ik kijk omhoog. Zij kijkt naar beneden.

'Sam, ga staan.'

Zo snel als het gaat kom ik overeind. Juf kijkt naar me. Ze schudt haar hoofd. 'Zie je wel,' zegt ze met die geknepen stem. 'Jij spoort niet.'

'Nee, ik viel!'

'Sam, blijf staan. Waag het niet om weg te rennen.' Juf draait zich om en loopt de klas uit.

'Wat gaat u doen?' roep ik, maar ze antwoordt niet.

Ik wacht. Met mijn voeten veeg ik de balletjes bij elkaar, maar ze blijven alleen maar aan mijn voeten kleven. Nog even en ik ben een sneeuwpop. Lopen doe ik niet meer, straks wordt de klas nog viezer. Juf heeft niet eens gevraagd of het pijn deed. Ze zei alleen maar: 'Jij spoort niet.'

De deur van de klas gaat open. Juffrouw Jacqueline stapt over de drempel. Ze slaat een hand voor haar mond. Ze kijkt naar de vloer, naar het bureau, naar mij.

'Ik viel,' zeg ik. 'Alles viel.'

'Sam, we hebben je ouders gebeld, die komen er zo aan. Dan praten we verder.'

'Moet ik hier blijven staan?' vraag ik.

'Ja,' zegt juf Deolinde, die naast het hoofd staat.

'Zal ik het even opruimen?' vraag ik.

'Nee.'

Juf Jacqueline en juf Deolinde blijven in de deuropening staan. Ze zeggen niets. Juf wijst naar haar bureau en de directrice knikt. Mijn juf fluistert iets, en juf Jacqueline knikt weer. Ze zeggen niets tegen mij.

'Ik moet plassen,' zeg ik na een tijdje.

'Je wacht maar even,' zegt juffrouw Jacqueline streng.

Ik hoor de tussendeur kraken. Even later staan mijn ouders bij de deur. Mijn vader zie ik stijf worden, en mijn moeder heeft ineens tranen in haar ogen.

'Zo erg is het niet hoor,' zeg ik snel.

'Zo erg is het wel,' zegt juf Jacqueline meteen.

'Nee, ik bedoel, ik viel. Maar ik ruim het wel op. Als het gaat. Het ging niet expres. De vogel wilde niet plakken.'

'Meneer en mevrouw Malmeun,' zegt het hoofd weer zo streng. 'Neemt u Sam mee naar huis. Ik wil morgen met u praten.'

'Ja, ja,' zegt mijn vader. 'Niet met Sam?'

'Eerst met u. Sam blijft thuis.'

'Ja ja, maar hoe krijgen we hem mee?'

De vier mensen staan bij de deur en ik sta nog steeds in de balletjes. Ik kijk naar beneden, sommige zitten al stevig aan de grond vastgeplakt. Allemaal witte bergjes.

'Moet ik echt niet helpen?' vraag ik nog een keer.

'Nee.'

Er komt een meneer van de schoonmaakdienst aan met een grote rol plastic. Voor mijn voeten rolt hij hem uit. Ik moet op het plastic stappen en met de man mee lopen, terwijl hij zwijgend het plastic uitrolt, tot aan het eind van de school. Ik lijk wel een koning. Maar dan vies.

Thuis word ik in de achtertuin uitgekleed. Mijn moeder haalt met een veger de balletjes van mijn benen. Ze zegt niets. Mijn vader zegt ook al niets.

Als ik op blote voeten in mijn onderbroek sta en alle balletjes weg zijn, mag ik naar boven. In bad. Mijn moeder laat het vollopen, terwijl ze nog steeds niets zegt. Ik wil graag praten, maar ik weet niet wat ik moet zeggen.

Mijn broer steekt zijn hoofd om de badkamerdeur. 'Wat heb je nu weer gedaan?' vraagt hij.

'Niets,' antwoordt mijn moeder voor mij.

'Niets? Noem je dat niets?'

Mijn moeder schiet overeind, ze draait zich naar mijn broer en priemt een vinger naar hem.

'Geen woord,' zegt ze. 'Jij praat hier met niemand over. Hoor je dat? Anders krijgen we de raarste praatjes in de school.'

Mijn broer trekt verbaasd zijn schouders op.

'Pfff,' zegt hij. 'Dan niet.' Hij draait zich om en gaat weg.

'Moet ik nu dood?' vraag ik, als mijn moeder de kraan dichtdraait.

'Dood?' Ze kijkt me geschrokken aan. 'Sammie, nee! Nooit, nooit, nooit! Nee kind, we gaan net zo lang door totdat je het kunt!'

'Wat?'

'Vogels plakken, letters schrijven, noem maar op.'

Als ik schoon en droog ben en mijn pyjama aanheb, tilt mijn vader me naar beneden. Ik ben doodmoe, maar we moeten nog eten.

'Mijn vrije kunstenaar,' fluistert mijn vader me in mijn oor. 'De volgende keer gewoon op doek, begrijp je?'

'Nee,' zeg ik.

'Schilderen. Met balletjes en verf, maar dan op een doek.'

Het zal wel, ik ruik macaroni.

20 Nieuw

Het is stil buiten. Iedereen is op school. Mijn vader en moeder ook. Ze zijn aan het praten over mij. Ik mag naar buiten, naar het speelpleintje, een uurtje, dan moet ik weer thuis zijn. Als ik door de struiken loer, kan ik het schoolplein zien. Het is leeg. Alle kinderen van de hele wereld zitten gezellig in de klas. Hoe zou het met Ran zijn, en met Suus?

Ik stap op de rand van de zandbak en spring in het zand. Eigenlijk heel stom. Ik spring nog maar een keer van de rand. Met mijn voeten in het zand. Is de juf nog steeds boos? Is het nog een troep in de klas? Vertelt de juf dat ik het heb gedaan? Zou Ran me missen? Misschien komt hij vanmiddag naar me toe. Wat moet ik dan zeggen tegen hem?

Achter me hoor ik miauwen. Een roodwitte poes komt over het pad naar me toe gelopen. Ik draai me om en spring op de grond. Vlak voor me gaat de poes liggen en rolt zich om in de zon. Ik buk me om haar te aaien.

'Hé,' zeg ik. 'Ben jij dezelfde als die van verleden keer? Doe je niet meer zo gevaarlijk?'

De poes draait zich om en strekt haar poten in de lucht. Ze vindt het heerlijk als ik haar over haar zachte vacht aai, dat merk ik wel. Ondertussen praat ik met haar.

'Je zult wel denken: wat doet hij hier? Nou, niets.'

Ik leg mijn gezicht in haar warme vacht. 'Wat ben je lekker zacht,' zeg ik. 'Maar van wie ben je?'

De poes miauwt, alsof ze begrijp wat ik bedoel. Om haar hals draagt ze een bandje met een kokertje eraan. Ik maak het open, maar het is leeg.

'Zo heb je er niets aan, poes,' zeg ik. 'Maar wat maakt het uit. Ik vind het gezellig dat je er bent. Verder is toch iedereen op school.' Ik zit wijdbeens op de grond, de poes ligt voor me. Misschien blijft ze de hele dag zo liggen, en zit ik hier nog als iedereen uit school komt.

Maar plotseling draait de poes zich om, ze staat op, miauwt een keer en loopt dan weg, naar de straat toe. Ik sta ook op en ga met haar mee. De poes loopt het parkje uit, de stoep over en wil weer de straat oversteken. Ik roep dat ze dat niet moet doen.

'Zeg, luister je wel, poes?' vraag ik.

Het beest kijkt me aan, kruipt onder een auto en blijft er zitten. Ik plof op mijn buik en loer naar haar. Mijn hart voel ik tegen de straat aan bonken. Ik moet de poes helpen!

Het rare beest blijft onder de auto zitten. Ik kan wel tien keer zeggen dat zij moet uitkijken, maar ze luistert niet. Misschien moet ik doorlopen, dan komt ze wel, of niet. Dan kan ik er eigenlijk ook niets aan doen. Ik sta op en loop weg. Na een paar stappen kijk ik om; de poes is onder de auto vandaan gekomen. Ze rent me achterna over de stoep, loopt me voorbij en kruipt weer onder een auto. Alsof we tikkertje doen. Ik blijf bij de auto staan, maar als de poes weer niet tevoorschijn komt, loop ik door. En dan komt ze weer! Totdat de straat ophoudt. Ik kijk de poes streng aan.

'Ik ga nu oversteken,' zeg ik. 'Jij blijft op deze stoep en je komt niet zomaar ineens achter me aan. Omdat ik dat eng vind. Begrepen?'

De poes miauwt.

'Omdat ik niet wil dat je doodgaat,' zeg ik.

Waarschijnlijk begrijpt ze me. Ik steek de straat over, kijk om en zie de poes nog zitten.

Ik roep haar gedag en ren naar huis.

Thuis ga ik televisie kijken. Naar een stom babyprogramma. Ik zie niets, want ik denk alleen aan school. Zijn mijn vader en moeder nog steeds aan het praten?

Ik zit zo erg te denken dat ik mijn ouders niet hoor thuiskomen. Ineens staat mijn vader bij de bank.

'En?' vraag ik meteen. 'Wat zeiden ze?'

'Van alles,' zegt mijn vader. 'We moeten rustig praten.'

'Nou, kom maar op.'

'Ja, maar we gaan een stukje varen. Mama pakt spullen en dan gaan we zo.'

Ik spring van de bank en loop naar mijn vader toe. 'Kun je het nu niet zeggen? Heb je Ran gezien, en Suus? Wat zeiden ze? Weten ze dat ik hier ben?'

'Wacht maar, we gaan het allemaal bespreken.'

Mijn hart bonkt als een gek. Mijn vader kijkt zo serieus!

'Maar ik doe mijn best!' roep ik.

Mijn vader slaat zijn armen om me heen en trekt me tegen zich aan. Ik voel zijn zachte buik.

'Sam,' zegt hij. 'Jij bent mijn allerbeste stukadoor. Dat neemt niemand me af.'

We rijden naar de rivier en stappen in een bootje dat mijn vader heeft geleend. Mijn moeder en ik zitten tegenover hem, op het bankje achterin. De eendjes zwemmen gezellig met ons mee.

'Waar gaan we naartoe?' vraag ik.

'Naar een lekker plekje om te picknicken,' zegt mijn moeder.

'Kunnen we niet nu al praten? Wat zei de juf, is ze nog boos?'

'Nee.'

'Echt niet?' Ik spring op, het bootje wiebelt en er komt bijna water in. Ik ga snel zitten. Mijn vader roeit naar de kant. Met de punt van de boot vaart hij ertegenaan. Hij pakt een stel grassprieten vast en trekt er zowat een hele pol uit.

'Ik ben hier niet zo handig in,' giechelt hij en springt op de kant om de boot vast te maken. Ik spring er ook uit en ren door het gras, kom bij de straat en steek over.

'Pas op!' roept mijn vader. Een fietser staat boven op zijn trappers en ik sta precies voor zijn neus. Hij stapt af, schuift zijn bril een stukje omhoog en kijkt me aan.

'Jongen,' zegt de man. 'Kijk alsjeblieft uit.'

'Het ging toch goed,' zeg ik, als we op een kleedje in het weiland zitten en ik een eierkoek in mijn mond stop.

'Ja, het ging goed. Maar op het nippertje. Kijk toch eens uit.'

'Nou,' zeg ik na een tijdje. 'Vertel.'

'Juf Deolinde en juf Jacqueline vertelden dat het raar was wat je gisteren deed.'

'Ze weten niet wat ik deed, het ging eerst per ongeluk.'

'Laat me even uitpraten,' zegt mijn moeder. 'Juf Deolinde zegt dat dit niet het enige is. Het gaat steeds slechter met je op school. Ze...'

'Ik doe het ook nooit goed!' roep ik en laat me languit in het gras vallen. 'Ik snap er geen bal meer van!'

Vanaf de grond zie ik mijn ouders allebei met hun hoofd knikken.

'Wat gaat er dan allemaal niet goed?' vraag ik.

'Lezen,' zegt mijn moeder. 'Je gaat niet vooruit, eerder achteruit.'

Ik stuif overeind.

'Logisch!' roep ik. 'Ik heb toch gezegd dat ik later meteen C-boeken ga lezen. Nou dat doe ik dus, maar het mag niet. Ik moet nog steeds Flip en Jip boeken lezen en die gaan nergens over. Weet je wat het is? De juf snapt me niet.'

Mijn moeder knikt.

'Maar ja. Je zit bij haar in de klas,' zegt mijn vader.

'Moesten we daarom helemaal met de boot gaan varen?' vraag ik.

'Het komt erop neer,' zegt mijn vader, 'dat je met alles achteruitgaat. Het gaat slechter in plaats van beter. En dat hoort niet.'

'Hoe moet het dan? Ik kan het niet meer. Alles doe ik fout, dat zegt ze elke dag. Dan gaat het toch niet meer?' Ik spring een paar keer op en neer en val op mijn knieën. Vlak onder mijn neus kronkelt een dikke worm over de grond.

'Kijk,' zei ik. 'Hij doet boodschappen.' Ik weet ook wel dat dat debiel is, maar het is makkelijker om het over debiele dingen te hebben.

'Boodschappen?' vraagt mijn vader. 'Hoe weet je dat?'

'Dat zie ik aan de manier waarop hij beweegt. Ik heb hem wakker gestampt, en daar is hij blij mee. Anders was hij blijven slapen en waren de winkels dicht geweest.'

'Wat heeft hij dan nodig?' vraagt mijn moeder.

'Eieren en spek. Daar heeft hij zin in.'

We kijken met zijn drieën naar de worm, die lekker vet is. Waarschijnlijk heeft hij al veel eieren met spek gegeten.

'Ze willen dat je naar een speciale school gaat. Het is niet meer te doen.'

Ik kijk op.

'Van school af?'

Mijn ouders knikken.

Weer naar een andere school? Ik zit hier net!

Ik spring op en ren weg. Door het weiland, over een hek, door het volgende weiland, langs de koeien die weghollen als ik voorbij stamp, over een sloot, waar ik maar net overheen kom. Ik had nog zo aan mezelf beloofd om niet weg te rennen. Maar het moet. Ik hoor mijn vader en moeder achter me roepen. Maar ik wil niets meer horen. Niets meer! Weg, weg! Mijn haren springen voor mijn ogen, het zweet loopt langs mijn rug, en ik ren door. Rennen, rennen, totdat ik bij niets uitkom. Nooit meer. Nergens. Niets.

Plotseling lig ik op de grond. Het stinkt. Ik zet me af om overeind te komen en glijd meteen weg. Mijn handen zitten vol stinktroep. Ik kijk ernaar. En naar mijn knieën. Die zijn ook vies, alles is vies.

Iemand pakt me vast, het is mijn vader.

'Sam,' zegt hij en kijkt naar zijn hand. Die is nu ook vies.

'Kom mee.'

Ik wil me losrukken, maar mijn vader heeft me te stevig vast.

'Sam, kom met ons mee. Wij willen niet dat je van school gaat. Je kunt het, dat weten we.'

Hij trekt aan mijn arm, maar ik blijf stevig in de koeienpoep staan. Hij zegt wel honderd keer dat ik mee moet komen.

'Luister nou even, Sam. We hebben gezegd dat je niet weggaat. Dat jij hier hoort, op deze doodgewone school, bij jou om de hoek. Met je doodgewone vriendjes en vriendinnetjes, bij jou om de hoek. Wij weten zeker dat je het kunt, je hebt het altijd gekund. Dus waarom nu niet.'

'Ik kan niet meer,' zeg ik. 'Ik weet het niet meer.'

'Dat snappen we. En daarom houd je een week rust. Jij blijft lekker thuis. Kom nu mee naar mama. Als je wegloopt, moet je altijd weer terug. Stinkend en wel.'

Mijn vader knijpt zijn neus dicht. Ik zie zijn ogen lachen. Hij is niet boos, al doe ik nog zo stom.

Ik krijg nog een eierkoek, en een blikje cola. In één keer drink ik het leeg en dan ga ik languit in het gras liggen.

'We willen dat je op school blijft,' zeggen mijn vader en moeder. 'Bij je leuke vrienden. Dat hebben we tegen juf en de directrice gezegd. En volgend jaar snel naar een andere juf.'

'Ja,' zeg ik, 'eentje die het begrijpt.'

'Wat begrijpt?' vragen mijn ouders.

'Kinderen. Kan ik niet nu al naar een andere juf?'

Mijn vader schudt zijn hoofd. 'Dat kan niet,' zegt hij. 'Dat hadden we al gevraagd.'

Ik zucht. 'Dat is dan heel stom.'

'Maar Sam,' zegt mijn moeder. 'Je moet minder brutaal zijn, dat vindt de juf fijn.'

'Ik ben niet brutaal,' zeg ik. 'Alleen, de juf luistert niet.'

We zeggen een tijdje niets. Ik kijk of ik die worm nog zie.

'Het komt allemaal door Vuur,' zeg ik. 'Eerst was hij er en toen ging hij dood. Toen wist ik niets meer.'

Mijn moeder wrijft over mijn rug.

'Oké,' zegt ze ineens streng. 'Sam, jij blijft dus op school, in de klas. Deze week blijf jij thuis. 's Ochtends ga je rekenen en taal doen, en een excuusbrief schrijven, dan een uurtje slapen, en daarna kun je spelen. Ik blijf bij jou, en je vader gaat naar school.'

'Wat doen?' vraagt mijn vader.

'Met de juf praten, dat jullie het leuk moeten gaan krijgen, samen. En je moet weer bij de kinderen. Zo vooraan zitten, dat werkt niet.'

Mijn vader lacht en neemt een slok drinken. 'Ga jij maar naar de juf,' zegt hij.

'Waarom?'

'Ik vind haar eng.'

Mijn moeder zucht nu heel diep. 'Pfff,' zegt ze. 'Mannen...'

Ze laat zich achterover vallen. 'Laten we maar eens een toren maken, dat kunnen we tenminste.'

'Maar ik stink,' zeg ik.

'Dan maar een stinktoren.' Ze gaat op het kleed liggen waar eerst nog de koeken lagen, zet haar voeten stevig op de grond en steekt haar armen in de lucht. Ik zet mijn handen op haar knieën en leg mijn schouders in haar handen. Met een sprongetje sta ik ondersteboven. De haren in mijn moeders neus kan ik zien, en de grassprieten die scheef uit de aarde groeien.

'Ik wil het kunnen,' zeg ik met mijn ondersteboven mond.

'Wat?' vraagt mijn moeder en ik zie haar spierballen trillen.

'School, de juf.'

'Jij bent zó goed, Sam,' zegt mijn moeder. 'Zó goed, dat ik...'

Mijn hoofd is nu zo vol bloed dat ik niet weet of ik als een ballon zal knappen.

'Los!' roep ik. Mijn moeder laat haar armen naar beneden zakken. Bijna plof ik boven op haar, maar ik kan net op tijd met een mooie boog op de grond springen.

'Dat je wat?' vraag ik.

'Dat ik nog heel veel torens met je wil bouwen.'

21 Alleen

Het is donderdag. Ik heb gerekend en taal gemaakt. Ik heb een excuusbrief geschreven. Het was net zo moeilijk als een opstel. Ik schreef: 'Sorry van de balletjes, maar ik viel. Ik blijf bij je, juf. Maar ik ga heel erg mijn best doen. Ik zal heel lief tegen u doen. Ik doe 's middags een dutje. Eigenlijk is dat wel fijn. Ik zou dat wel elke dag willen doen. Dag juf. Mist u me al? Ik u wel.'

Dat laatste heb ik doorgestreept, want ik meende het niet echt.

Ik mag naar buiten. Het is raar stil op het pleintje. Ik wacht tot Ran uit is, maar ik wacht eigenlijk ook niet. Wat moet ik tegen hem zeggen als hij me ziet? Dat ik ziek ben? Of dat ik het lokaal vies heb gemaakt? Ik had beloofd om het niet te vertellen. Aan niemand niet. Ik zou het wel aan Vuur kunnen vertellen, maar die is er niet meer.

Daar is de rode poes alweer. Zou ze me kennen? Ze komt naar me toe en geeft me kopjes. Als ik haar optil en met haar op schoot op de bank ga zitten, springt ze er na een tijdje af en loopt weg. Ik ga met haar mee over de stoep. Soms rent ze voor me uit en wacht dan op me. Zou ze me meenemen ergens naartoe?

Bij een kruispunt steekt die gek zomaar de weg over.

Ik kijk of er niets aankomt, steek ook over en ga weer met haar mee.

'Nooit meer doen,' zeg ik. 'Dat had ik je toch gezegd.'

De poes miauwt. Even later komen we bij een groot huis, de poes loopt het pad op en ik ook. Over dik knerpend grind. Bij de voordeur gaat ze zitten.

'Zo,' zeg ik. 'Woon je hier? Zal ik aanbellen?'

De poes miauwt weer.

Ik kijk of er toevallig iemand aankomt. Het huis heeft veel ramen, maar ik zie niemand. Ik bel aan, de poes blijft naast me zitten wachten. Soms kijkt ze even naar me, miauwt, en kijkt dan weer naar de deur. Als die opengaat, staat er een mevrouw met een wijde jurk en grijze haren.

'Hé, dag,' zegt ze vriendelijk en meteen erachteraan: 'Saar, daar ben je weer!'

'Is dat uw poes?' vraag ik.

De mevrouw knikt. 'Ze gaat wel vaker op stap. En ze komt altijd vanzelf terug. Of ze wordt thuisgebracht. Zoals nu. Hoe heet je?'

'Sam.'

'Moet je niet naar school? Hoe laat is het?'

Ik haal mijn schouders op.

'Zit je op de school verderop?'

Ik knik.

'Wil je even binnenkomen?' vraagt de mevrouw. 'Wil je wat drinken? Weet je moeder of je vader dat je hier bent?'

'Wiwi,' zegt ze, als ze me binnenlaat. 'Ik ben Wiwi. Dat komt van Louise, mijn kleine broertje kon dat niet uitspreken en noemde me Wiwi en dat is altijd zo gebleven.'

We gaan naar de keuken. Ik ga aan de tafel zitten en kijk om me heen. Op alle kastdeurtjes hangen kaarten. 'Beterschap', staat erop. 'Sterkte, kop op, liefs'.

'Bent u ziek?' vraag ik aan Wiwi, die limonade voor me pakt.

'Nee, mijn man.'

Ik neem een slok. Ze gaat zitten en kijkt me aan.

'Wilt u niets?'

Ze schudt haar hoofd. Ik slurp nog een slok uit de beker.

'En nu?'

'Nu?'

'Hoe is het met uw man?'

'Die is dood,' zegt ze.

De limonade glijdt zo mijn maag in, alsof het langs een gletsjer glijdt.

Waar? wil ik vragen. Hoe dan? Waarom? Moet u huilen? Bent u boos? Maar ik vraag niets. Ik kijk om me heen. De poes zie ik nergens. Wiwi vraagt of ik nog een beetje wil.

Ik kijk haar aan, terwijl ze mijn glas nog een keer volschenkt. Wiwi past precies in deze keuken met alle pannen, kop-en-schotels, kookboeken, kookspullen, planten en bloemen.

'Waar is de poes?' vraag ik.

'Naar binnen, denk ik.'

'We zijn toch al binnen?'

'In de kamer.'

'Mag ik het zien?'

'Natuurlijk,' zegt ze.

Ik loop achter haar aan, door een grote hal, waar wel vijf deuren op uitkomen, naar de woonkamer. Het staat er vol met meubels en boeken. Er liggen hele stapels cd's op de grond. En de vensterbank staat vol planten.

'Zoveel spullen,' zeg ik.

'Anders dan bij jou?' vraagt Wiwi.

'Helemaal!' roep ik. 'De boeken staan nog steeds in dozen.'

'Ga je verhuizen?' vraagt Wiwi.

'Ik ben net verhuisd.'

De poes zie ik niet. Wel sloffen. Van een man. Ze staan naast de bank.

'Ik denk dat ze in de serre ligt,' zegt Wiwi. Ze loopt naar de zijkant van de kamer, waar nog een kamertje is.

De serre staat tjokvol. Met een drumstel. Het glimt in de zon. En de poes ligt ernaast.

'Wow!' zeg ik en blijf op de drempel naar dat ding staan staren. 'Wow!'

'Kun je spelen?' vraagt Wiwi.

Ik schud mijn hoofd.

'Wil je?' vraagt ze.

'Ik? Wat?'

'Spelen?'

'Maar ik kan het niet.'

'Hoe weet je dat?'

'Ik heb het nog nooit gedaan.'

'Nou dan,' zegt ze. 'We beginnen met dat je iets kunt.'

'Wat bedoelt u?' vraag ik.

'We gaan ervan uit dat je alles kunt. Dat is wel zo makkelijk.'

Ik schud mijn hoofd. 'Nee, dat zegt de juf niet. Ze zegt: als je het niet kunt, moet je het ook niet doen.'

Wiwi bolt haar wangen en blaast de lucht uit.

'Zo kom je nooit verder in het leven. Gewoon doen, dan leer je het vanzelf.' Ze pakt twee stokken die op een trommel liggen en geeft ze aan mij. 'Spelen!'

Ik ga op de kruk zitten, schuif een paar keer heen en weer tot ik goed zit, kijk naar de trommels en alle bekkens, tel tot drie en sla.

Bam! Op de kleine trommel.

Ik kijk Wiwi aan. Ze knikt. 'Ga door,' zegt ze.

Bam! Nu met mijn voet op de pedaal. Een dikke dreun trilt door de serre. Ik kijk naar de poes; die kijkt er niet van op. Ze blijft gewoon liggen. Ik geef een slag op de kleine trommel, nog een, nog een met mijn voet erbij. Het gaat leuk. Mijn armen worden losser. Bam, bam, bam. Ik sla van de ene trommel naar de andere. Tsjak, tsak! Op de bekkens.

'Oho!' roep ik ondertussen.

'Wat is er?' roept Wiwi.

'Veel te hard!'

'Lekker toch!'

'Ja!'

Ik sla maar door en door, soms zachter, dan weer harder. Soms langzaam, dan weer sneller. Wel een halfuur lang, of een uur, of drie uur. Net zo lang totdat mijn armen zo moe zijn dat ik ze niet meer omhoog kan houden. Ik laat ze vallen, leg de stokken terug op de trommel en zucht.

'Dat was mooi,' zegt Wiwi. 'Dat was heel mooi.'

'Ja,' zeg ik. 'Mooi kabaal.'

'Heel mooi kabaal,' antwoordt ze.
'Morgen weer,' zeg ik.
Wiwi kijkt me lachend aan. 'Moet je niet naar school?' vraagt ze.
Ik schud mijn hoofd, maar zeg niets.
'Vooruit,' zegt ze. 'Maar wel je moeder vragen.'

22 Roffelen

Ik mag naar Wiwi! Mijn moeder is gisteravond naar haar toe gegaan, en ze vond het goed als ik leerde drummen.

Wiwi zit op haar hurken in de voortuin, maar komt meteen overeind als ze me ziet. Met haar arm veegt ze een haarlok uit haar ogen.

'Hé goeiemiddag, ben je er weer?' zegt ze en grinnikt meteen: 'Ja natuurlijk ben je er weer, dat zie ik. Kwam je Saar nog tegen onderweg?'

'Nee.'

Wiwi loopt de tuin uit, gaat naast me op het grindpad staan en kijkt naar de tuin. 'Leuk hè, zegt ze. 'Binnenkort gaat alles bloeien. De hele tuin vol. Sommige mensen vinden het niets, zo'n wilde slordige tuin. Nou, jammer dan, want ik vind het mooi!'

Ik loop met haar mee naar de deur. Als we net naar binnen gaan, komt de poes uit de achtertuin gewandeld. Ze loopt naar me toe, geeft me een kopje en glipt als eerste naar binnen.

'Ze kent me al,' zeg ik.

'Dat is haar geraaien ook. Natuurlijk weet de dame nog wie haar gisteren heeft thuisgebracht.'

In de keuken wast ze haar handen en ik kijk naar de kaarten.

'Hoe lang is uw man dood?' vraag ik.

'Drie weken,' antwoordt ze.

'En die kaarten hangen hier nog?'

'Ja, dat vind ik fijn. Ze hangen om me heen, alsof ze een deken zijn. Een deken van troost.'

Ze loopt naar de handdoek, droogt haar handen af en wrijft er daarna mee over haar voorhoofd. Dan vult ze een flesje met water en drinkt het half leeg.

'Wil jij ook?' vraagt ze. 'Limonade?'

Ze loopt naar de koelkast en schenkt voor mij limonade in. Ik neem een slok.

'Bent u niet verdrietig?' vraag ik.

'Verdrietig? Ja. Of nee. Soms. Het is nog raar. Alsof er iets om me heen zit.'

'Ja,' zeg ik. 'Die kaarten.'

Ze schiet in de lach en kijkt me aan.

'Nee, dat niet. Ja ook. Maar het is nog zo leeg. Ik bedoel, ík ben leeg.'

Ze staart voor zich uit op de grond. Haar grote lichtroze bril is een eindje naar beneden gezakt.

'En boos?' vraag ik.

Direct kijkt ze van de grond naar mij.

'Hoe weet jij dat? Hoe weet je dat je boos bent als er iemand doodgaat?'

Ik trek mijn schouders op.

'Kom Sam,' zegt ze ineens. 'We gaan drummen.'

Roffelen. Ik begin met roffelen. De stok losjes vasthouden en op de trommel laten vallen. Heel makkelijk. Totdat de stok uit mijn hand valt. Bijna op de poes, die aan mijn voeten ligt. Wiwi zit op een krukje naast me. Ik buk me, geef de poes een kus op haar vacht, raap de stok op, kieper bijna van mijn kruk, maar nog net niet, en begin weer. Los uit de pols en de stok op de trommel laten vallen. Op de snaredrum, zo heet de drum die op de standaard tussen mijn benen staat.

Alleen maar met rechts.

Tattattat, tdadatat, als het geluid van een Harley Davidson motor die voor een stoplicht staat te ronken.

Tattattat, tdadatat.

'Nu de linkerhand erbij,' zegt Wiwi na een poosje. 'Rechts vier keer stuiteren, dan links. Rechts twee drie vier, links twee drie vier.'

Na vijf keer stuiteren vliegen allebei de stokken uit mijn handen.

'Goed!' roept Wiwi.

'Goed?' vraag ik.

'Ja, het hoort er allemaal bij!'

Ik raap ze weer op, moet de stokken goed vasthouden en ze weer laten stuiteren.

'Alsof je een bal weggooit,' zegt ze.

Ik laat de stokken als weggegooide ballen op de trommels kletteren. Niet alleen op de snaredrum, maar op alle trommels. En op de eerste tel trap ik met mijn voet op de pedaal, zodat de dikke bas zwaar trillend door mijn buik dendert.

'Goed!' roept Wiwi steeds. 'Goed man.' En ze telt voortdurend. Een, twee, drie, vier.

Na een poosje moet ik maar twee keer roffelen en dan stoppen. Een stok heeft de neiging om wel honderd keer op een trommel te klapperen, maar twee keer achter elkaar en meer niet, dat is hartstikke moeilijk.

'Rechtop zitten!' roept ze door het geroffel heen. 'Rug recht, schouders laag!'

Ik roffel maar door.

'Ben je al moe?' vraagt ze na een tijdje.

Moe?

Ik stop met spelen en denk na. Moe. Ja, dat ben ik wel.

'Kom,' zegt ze. 'We gaan wat drinken. In de keuken, dan kan ik ondertussen gaan koken.'

In de keuken zet Wiwi een raampje open, zodat er een lekker windje naar binnen waait.

'Iedere dag oefenen.' Ze opent een trommel, geeft me een koekje en stopt er zelf ook een in haar mond.

'Maar ik heb geen drumstel.'

Zonder iets te zeggen loopt ze de keuken uit en komt terug met twee drumstokken.

'Op de bank,' zegt ze en geeft me de drumstokken. 'Mag dat? Mag je thuis op de bank drummen?'

'Vast wel,' zeg ik. 'Of op de tafel.'

'Die veert niet mee, je moet kunnen roffelen.'

Ze loopt naar een mand, pakt er iets uit, neemt een mes uit de la en een plank uit een kastje en blijft bij het aanrecht staan.

'Ik begin vast,' zegt ze. 'Mijn vriendin komt straks eten.'

Ineens staat ze te huilen! Ik houd mijn adem in. Zie je wel dat ze verdrietig is. Kan ze er niet even mee wachten totdat die vriendin er is? Kan ik nu weggaan zonder iets te zeggen, of moet ik juist blijven en haar helpen? Maar hoe help je iemand met tranen?

Met de achterkant van haar hand veegt ze haar wangen droog. Ze draait de kraan open, kijkt naar mij en veegt weer wat tranen weg.

'Uien,' zegt ze. 'Het zijn de uien, dat ben ik niet gewend.'

Ze snijdt door en ik zit aan de tafel. Ik kan nu best naar huis gaan, maar ik doe het niet. Ik wil nog de poes aaien en bij Wiwi aan de tafel zitten zo lang als maar kan.

Wiwi zet een koekenpan op het vuur, giet er olie in en even later schuift ze de uien van de plank in de pan. Meteen begint het te sissen.

'Zo,' zegt ze. 'Dat gaat goed.'

'Het stinkt,' zeg ik.

Wiwi staat met haar rug naar mij toe. Ze blijft even staan, zonder te bewegen. Dan draait ze zich om. 'Stinken? Nu al?'

Ik knik.

'Jij klein jongetje. Drummertje in de dop.'

Meer zegt ze niet. Ze kijkt me aan, maar het lijkt alsof ze dwars door me heen kijkt. Dan loopt ze weg, de keuken uit.

Ik blijf gewoon zitten.

Na een tijdje blijf ik nog gewoon zitten. Het gaat nog erger stinken. Ik sta op en kijk in de pan. De uien zijn al bijna bruin. Misschien moet ik het gas laag zetten, dat moet ik van mijn moeder ook wel eens doen. Of uit, dat is nog beter. Naar welke kant moet ik de knop draaien?

Wiwi komt weer binnen.

'Wat doe je?' vraagt ze.

'De uien,' zeg ik.

Ze zet een potje op de tafel en kijkt in de pan.

'Het vlees moet erbij. Even wachten, daarna doen we het potje.'

Het is een rond potje met appeltjes erop en een bruin plastic dekseltje. Appelkoekjes, staat erop. Ik wacht totdat ik er een krijg, hoewel ik niet erg goed ben in wachten. Als ik eenmaal ergens zin in heb, wil ik het graag meteen.

Wiwi doet het vlees in de pan, roert erin en als het lekker pruttelt, komt ze bij me aan tafel zitten.

'Een duppie voor je geheim.' Ze pakt de pot op, maakt de deksel open en laat me het lege blikje zien.

'Dat deed mijn moeder vroeger met mij en ik deed het later met mijn dochter,' zegt ze. 'Voor ieder geheim een cent, soms een duppie, als het een groot geheim was. En als de pot vol was, gingen we een ijsje eten bij de rivier.'

Ze kijkt me aan.

Mijn hart gaat alweer bonken. Wat moet ik vertellen?

'Zal ik eerst?' vraagt ze. 'Heb jij een cent of een duppie?'

Ik schud mijn hoofd. 'Wat is een duppie?'

Ze schiet in de lach. 'Stom, dat is nu niet meer zo. Vroeger heette tien cent een dubbeltje. Een duppie dus. We hadden centen, stuivers, duppies, een heitje, een knaak, een joet, een meier.'

'Allemaal geld?'

'Allemaal geld. Maar ik weet het goed gemaakt. We vertellen eerst het geheim en daarna bepalen we hoeveel het waard is.'

'Dan is alles een cent waard, meer heb ik niet.'

'Ben je gek, ik betaal wel.'

Wiwi kijkt naar het potje. Ze gaat het vast niet zeggen. Wie vertelt er nou zomaar zijn geheim?

'Ja weet je, ik ga uien eten.'

'Wat een geheim,' zeg ik.

Wiwi knikt. 'Voor het eerst sinds dertig jaar. Het was zo: mijn man hield niet van uien. Ik hield wel van hem, natuurlijk. Hij was een beste vent, alleen die uien. Hij stikte er al zowat in als hij binnenkwam en ik ze aan het bakken was. Hij begon altijd te zeuren.' Wiwi trekt een vies gezicht. '"Buh, uien," zei hij dan. Op een gegeven moment had ik geen zin meer in zijn gezeur. Ik zei: "Oké, ik bak geen uien meer, als jij dan maar iedere dag vrolijk binnenkomt." En dat deed hij.'

Ze staart even voor zich uit. Ik houd me doodstil.

'Nou ja,' zegt ze lachend. 'Hij probeerde het. En nu is hij dood. Eerst deed ik het nog niet. Maar nu, vandaag, dacht ik: ik ga uien bakken.'

Ze staat op en roert in de pan. Ik denk nog even aan die uien en die man.

'Is dat niet lullig?' vraag ik.

'Lullig?' Het komt er grappig uit, bij zo'n mevrouw. Alsof ze het woord voor het eerst zegt.

Ze ploft terug op de stoel, met de houten lepel in haar hand.

'Lullig,' zegt ze nog een keer. 'Dat ik uien bak? Denk je dat?'

Ik denk niets. Of wel. Ze vraagt me zo veel.

'Nee,' zegt ze dan en ze schudt haar hoofd. 'Nee, dat denk ik niet. Hij zal het wel snappen.'

Ze kijkt omhoog naar het plafond. 'Karel, sorry, ik bak nu toch maar een ui.' Dan buigt ze zich naar mij. 'Ja, weet je, de eerste drie weken durfde ik het nog niet, ik was bang dat Karel het zou ruiken. Maar nu zal hij vast al ver weg gevlogen zijn.'

Ze staat op, pakt haar portemonnee van een plankje boven het gasfornuis en maakt hem open. 'Zo. Hoeveel gaat er in het potje?'

'Ik vind het een raar geheim,' zeg ik. 'Een uiengeheim. Maar ik denk ook dat het duur is.'

Wiwi kijkt me aan en knikt langzaam.

'Doe maar een euro,' zeg ik. 'Omdat het over uw dode man ging.'

'Ja, dat is goed.' Ze gooit een euro in het appelpotje. De munt ratelt nog even rond en blijft dan liggen.

'Dat gaat snel,' zegt ze. 'Nog één geheim en we hebben al twee kleine ijsjes. Wanneer kom je weer?'

'Morgen, maar ik weet niet of ik dan al een geheim heb.'

Maar morgen kan ze niet, dan moet ze tennissen. Met de bejaarden. Dat zegt ze zelf.

En bejaarden zijn oude mensen.

23 Suus

Ik zit naast Suus, tegen het bureau van de juf aan. Niemand weet waar ik de hele week geweest ben en ik zeg ook lekker niets. Juf Deolinde doet aardig tegen me. Ze doet haar best, net als na de kerstvakantie. En ik doe ook mijn best! Ik draai me niet om, ik zwaai niet naar Ran, ik praat met niemand. Ik schrijf en ik reken. We maken verhalensommen: Meneer Bol koopt twintig kilo aardappels, maar er zit een gat in de zak. Na tien minuten heeft hij vijf kilo verloren. Hoeveel aardappels heeft hij na twintig minuten nog in de zak?

'Dat hangt ervan af,' schrijf ik in mijn schrift.

'Waarvan af?' fluistert de juf, als ze naast me komt zitten. Pakt ze alweer haar pen, omdat ik iets fout heb?

'Hoe dik de aardappels zijn. Misschien slijt de zak, en wordt het gat groter. Dan vallen er in vijf minuten meer aardappels uit.'

Juf wordt rood. 'Niet zo ingewikkeld Sam, gewoon uitrekenen.' Ze staat op en loopt weg.

Twintig min vijf, min nog een keer vijf. Dan is het simpel: tien kilo aardappels zijn er over. Of het waar is, weet ik niet.

Suus stoot me aan. Als ze opzij kijkt, kijkt ze een klein beetje scheel. Heel leuk. 'Snap jij het?' vraagt ze.

'Ssst,' zeg ik en knik.

'Laat zien,' zegt ze veel te hard. Ik draai me om, de juf

kijkt naar mij, alsof ik zat te praten. Ik draai me terug en ga de volgende som lezen. Als Suus me weer aanstoot, leg ik mijn schrift iets opzij, zodat ze de antwoorden kan zien. Op een briefje schrijf ik: 'Ik weet niet of ze goed zijn.' Suus schrijft me terug: 'Ze zijn heel goed. Kom je vanmiddag spelen?'

Ik krijg het heel heet! Spelen met Suus. Maar ik kan niet, ik moet vanmiddag naar drumles, de stokken zitten in mijn tas.

'Kan niet,' schrijf ik terug.

'Sam, wat doe je daar?' Dat is de juf.

'Niets, juf!' roept Suus. 'Ik vroeg hem wat, ik snap er geen biet van.'

'Laat Sam met rust,' zegt juf. 'Ik kom zo naar je toe.'

Suus trekt een rare schele snoet naar me. Ik moet bijna hard lachen, maar doe het niet. Ik reken weer verder.

'Jij kan echt goed rekenen,' zegt Suus in de pauze. Ze ziet er leuk uit, met haar bruine paardenstaarten en haar groene bril.

'Pak me dan.' Ze geeft me een duw en rent weg. Ik kijk om me heen of ik de juf zie, maar ze is er niet. Dan ren ik achter haar aan. Als ze in de boom wil klimmen, roep ik dat dat niet mag. Ze rent eromheen, door het zand, naar de fietsenstalling. Helemaal achterin, bij een klein gangetje, blijft ze staan en draait zich om. Ik blijf vlak voor haar staan.

'Sam, wil je met me?' vraagt ze.

Mijn mond zakt open. Ik blijf stokstijf staan. Mijn hart gaat gek kloppen.

'Nou?' vraagt ze.

Wat moet ik zeggen? Ja? En dan? Wat moeten we dan doen? Vind ik haar leuk?

Ze slaat haar armen om me heen, knijpt me zowat fijn en laat weer los.

'Ja,' zeg ik. 'Ik wil wel.'

Na school rijd ik naar Wiwi. Ik zet mijn fiets bij het hek. Saar ligt in de voortuin. Als ik haar roep, komt ze naar me toe. Ze draait zo dicht om me heen dat ik bijna over haar val. Ik til de zware poes op en neem haar mee, met haar poten languit naar voren en naar achteren. Voor de deur draait ze zich om, springt uit mijn armen en loopt miauwend naar de achtertuin. Ik bel aan.

'Ik heb een geheim!' zeg ik als Wiwi opendoet.

Even zegt ze niets. Mocht ik wel komen? We hadden toch drumles?

'Het is leuk,' zeg ik.

'Een geheim,' zegt Wiwi dan en trekt de deur wagenwijd open. 'Prachtig.'

Ik loop achter haar aan naar de keuken en daar zie ik waarom ze anders is dan anders. Op de tafel staat een schoenendoos met kaarten. De deuren van de keukenkastjes zijn bijna leeg. Het is stil in de keuken.

'O,' zeg ik.

'Ja,' zegt Wiwi.

'Waarom?' vraag ik.

Wiwi trekt haar schouders op. 'Het moet toch ooit een keer weg.'

Een zuchtje wind blaast door de keuken. De kaarten die nog aan een deurtje hangen, wapperen even op en vallen weer terug.

'Jammer,' zeg ik. 'Het stond zo leuk.'

'Ja,' zucht Wiwi. 'Dat vond ik ook.'

Ze pakt drinken uit de koelkast en schenkt twee glazen in.

'Vertel.' Ze gaat op haar plek aan de tafel zitten en kijkt me aan.

Ik wacht. Zal ik het wel vertellen?

'Nou,' zegt ze. 'Kom op met je geheim, ik ben stikbenieuwd.'

Ik kijk naar de lege kastjes, naar de schoenendoos. 'Misschien vindt u het helemaal geen leuk geheim,' zeg ik. 'Misschien wordt u er verdrietig van.'

Ze neemt een slok en terwijl ze dat doet, kijkt ze over de rand van de beker naar mij.

'Dat ben ik al,' zegt ze. 'Je kunt me opvrolijken.'

'Maar als ik het verteld heb, denkt u misschien aan uw dode man.'

Ze schudt haar hoofd. 'Dat doe ik toch al. Vooruit.'

'Ik ben verliefd. Op Suus.'

Wiwi neemt een slok, gaat rechtop zitten en kijkt ineens vrolijk.

'Vertel,' zegt ze. 'Wie is Suus, hoe ziet ze eruit, waar ken je haar van?'

'Ze heeft bruin haar in twee staarten en een groene bril en een scheve tand en ze kan heel goed in bomen klimmen, maar niet zo goed rekenen en ik zit naast haar.'

Wiwi trekt haar wenkbrauwen omhoog, haar bril schuift een beetje mee naar boven.

'Dat lijkt me een prachtmeid,' zegt ze.

Ik word helemaal warm vanbinnen.

'Vind je het erg?' vraag ik.

'Helemaal niet. Juist niet. Ik ben blij. Voor jou.'

'Maar u bent niet verliefd.'

Ze staat op. 'Kom op jongen, we gaan drummen. Maar eerst betalen.'

Ze pakt haar portemonnee van het plankje, maakt hem open en kijkt erin.

'Dit is een duur geheim hè?' vraagt ze. 'We moeten een beetje voortmaken met de poen, want het is eigenlijk al ijsjestijd.'

'Een euro,' zeg ik.

'Ben je gek. Vijf.' Ze pakt een briefje van vijf en stopt het in het geheimenpotje.

'Dat is heel veel,' zeg ik en ik kijk naar het briefje in de pot.

'Ach ja,' antwoordt Wiwi. 'Om de boel een beetje op te starten, huppetee.'

24 Cadeau

Ran en ik gaan een cadeau kopen. Voor de meisjes. Ran had het verzonnen. We lopen langs de dierenwinkel, waar een grote kooi buiten staat. Er zit een gele vogel met een grijze kuif in.

'Daar is hij weer,' zegt Ran. 'Moet je horen.'

'Idioot!' roept de vogel.

Ran blaast de zwarte haren voor zijn ogen weg.

'Idioot!' roept hij terug.

'Idioot!'

Mijn vriend steekt zijn vinger tussen de spijlen van de kooi, maar kan hem nog net op tijd terugtrekken.

'Hé, niet pikken!' roept hij. 'Idioot!'

We lopen verder, naar de juwelier. Een winkel vol goud en zilver, met vloerbedekking op de grond. Er staan glazen zuilen. Als we op onze tenen gaan staan, kunnen we zien wat erin ligt. Horloges. Grote gouden horloges, met wel zes knoppen eraan.

'Moet je kijken!' roept Ran. 'Moet je die zien. Die wil ik!'

'Driehonderdvijfentachtig euro,' lees ik op het prijskaartje dat aan het bandje zit.

'Wat?' roept Ran. 'Zoveel? Idioot!' Hij leest de prijs op het volgende horloge. Die is zeshonderdvijftig euro.

'Sjeempie,' roept hij. 'Idioot.'

We kijken naar alle horloges en bij alle prijzen die we hardop voorlezen, roept Ran: 'Idioot.'

Er komt een mevrouw door een deur. Ze heeft heel hoog haar en ik weet zeker dat Ran denkt: Idioot!

En ik denk: dat hoge haar is een mooi nest voor de gele vogel.

'Kan ik jullie helpen, jongens?' vraagt de mevrouw.

'Ik zoek een ketting voor mijn vriendin,' zegt Ran.

'O,' zegt ze. 'Goud, doublé of zilver?'

'Goud.' Hij schudt zijn haren uit zijn gezicht en kijkt stoer.

De mevrouw loopt naar een van de zuilen. 'Kijk hier maar eens,' zegt ze.

We kijken.

'Die,' zegt Ran na drie seconden.

De mevrouw zet een bril op haar neus. Ze heeft een koord met sleutels om. Met één van de sleutels maakt ze de glazen zuil open. Ze pakt de ketting met het gouden hart, houdt met één hand de ketting vast en legt het hart in haar andere hand.

'Ja,' zegt Ran meteen. 'Die is goed. Wat kost die?'

'Deze is vijfentachtig euro,' zegt de mevrouw.

Ran proest.

'O,' zegt hij. 'Doe dan maar niet. Heeft u nog iets anders?'

Zonder iets te zeggen legt de mevrouw het gouden hart weer terug en doet de vitrine op slot.

'Dan moet je daar maar eens kijken,' zegt ze tuttig.

We lopen naar een laag kastje achter in de winkel. Het briefje van vijf euro in mijn broekzak houd ik goed vast. Het is net of het niet in mijn zak zit, maar in mijn buik.

'Hij moet ook,' zegt Ran, en wijst naar mij.

Ik word er warm van. 'Hij is op Suus,' zegt hij tegen de mevrouw.

'Hier zijn de kinderdingen.'

Pff. Dingen. Het zijn ook gewoon mooie kettingen. In de kast liggen kettinkjes, ringen met een lieveheersbeestje, armbandjes, en een poesje van glas. Ik weet het meteen. Die wil ik. Het is net Saar, ook een oranje poes. En ineens denk ik aan Saar en Wiwi en Suus en het geld in mijn broekzak.

Ran wijst weer een hartje aan. Nu is het een kleintje.

'Wat kost die?' vraagt hij.

'Twee negen en negentig.'

Ran zucht. 'Sjeempie,' zegt hij. 'Nog te veel.'

'Hoeveel heb je dan?'

'Twee euro.'

Ze wijst een ringetje aan. 'Neem dan die.'

Ran schudt zijn hoofd. 'Lisa hoeft geen ring met een lieveheersbeest,' zegt hij.

'Moet je van mij?' vraag ik.

Ran kijkt me aan.

'Wat van jou?'

'De rest. Dan kun je het kettinkje nemen.'

De mevrouw tikt met haar nagels op het kastje. Wordt ze ongeduldig? Waarom? Er is verder niemand in de winkel. Het is er eigenlijk heel saai.

'En jij dan?' vraagt Ran.

Ik trek mijn schouders op. 'Mwah,' zeg ik.

'Hoef jij niet? Ben je niet meer verliefd?'

'Mwah.'

Ik weet het niet. Ik weet even niets meer. Maar Ran kijkt me zo aan.

'Wat kost die poes?' vraag ik.

'Ook twee negen en negentig,' zegt de mevrouw.

Ik reken het snel uit. Het kan.

'Doe maar,' zeg ik.

We wachten totdat de cadeaus zijn ingepakt.

'Vijf euro,' zegt Ran, als ik het briefje op de toonbank leg. 'Zo veel – hoe kom je eraan?'

Ik zeg niks, trek alleen mijn schouders op.

'Wil je ijs?' vraag ik, als ik een euro terugkrijg en we de winkel uit lopen.

Bij Jamin kunnen we twee ijsjes van vijftig cent nemen, of een grote van een euro.

'Neem jij maar een grote,' zeg ik.

Ran kijkt me weer aan.

'Idioot,' lacht hij. 'Sinds wanneer hoef jij geen ijs?'

'Ik neem wel een likje.'

We gaan op het bankje zitten, midden in het winkelcentrum. In de verte horen we de vogel roepen. Alles en iedereen is idioot.

Ran neemt twee likken, daarna neem ik er één.

'Morgen ga ik het meteen geven,' zegt Ran met een witte tong. 'Ik ga heel vroeg naar school. Dan wacht ik op haar. En dan ga ik het geven. Ik denk dat ze het heel leuk vindt. Ik weet het wel zeker. En jij? Die poes is ook mooi. Net wat voor Suus, die houdt van poezen. Hé, wat ben je stil.'

Hij kijkt me aan. Ik trek mijn schouders op. Nu heb ik een mooi cadeau, een euro weggegeven en een groot ijs voor Ran gekocht, en nog steeds voelt mijn buik hartstikke zwaar.

Ik sta op. Een grote jongen heeft een blikje leeggedronken en het naar de vuilnisbak gegooid. Maar het valt ernaast, en hij laat het liggen. Ik ga ernaartoe en schop ertegenaan. Ran propt het ijsje in zijn mond, staat op en schopt het blikje terug. Al rinkelend lopen we het winkelcentrum uit en Ran vraagt niets meer.

25 De ketting wordt steeds langer

Ik lig in bed. Maar ik val niet in slaap.

Wat moet ik doen? Het poesje morgen aan Suus geven. Ze zal er blij mee zijn.

Misschien wordt ze wel gelukkig. Maar ik niet.

Ze vindt me vast erg lief. Maar dat ben ik niet.

'Heb je dat zelf gekocht?' zal ze vragen.

Ja, ik heb het zelf gekocht.

En dan gaan we spelen. Bij haar thuis of bij mij. Bomen klimmen, of stoeien op het bed.

Maar het zou raar zijn.

Zou Wiwi al in het potje hebben gekeken? Heeft ze al in het potje gekeken? Dan wil ze me vast nooit meer zien.

Dat kan ik doen! Nooit meer naar haar toe gaan. Dan vergeet ik het wel, en zij ook.

Nee, dat is vals. We zouden samen een ijsje eten en ze is al zo alleen.

Ik kan het poesje aan Wiwi geven. Saar van glas. Maar dan zal Ran morgen zeggen: 'Hé, waar is je cadeau?'

En wat moet ik daar dan weer op zeggen? Had ik het maar nooit gedaan. Hoe kan ik zo stom zijn geweest? Nou ben ik alweer stom. Zie je wel. Niet alleen stom op school, maar ook bij Wiwi. Die zal nu ook niet meer aardig tegen me zijn. Ze wil me vast nooit meer zien.

Ran komt de volgende dag naar me toe gerend.

'Heb je je cadeau?' vraagt hij.

Ik schud mijn hoofd. 'Vergeten.'

'Vergeten? Hoe kun je dit nou vergeten? Ik heb het wel,' zegt hij en laat me zijn pakje zien.

Nu heb ik nog een probleem. Natuurlijk ben ik het niet vergeten. Het liefst gooi ik die hele poes weg, dan ben ik ervan af.

'Nou,' zeg ik. 'Niet vergeten. Maar het is stuk.'

'Stuk?' roept Ran. 'Stuk?'

'Nee, niet stuk.'

Het lijkt wel een soort ketting. Ik heb een kraal gepakt, en er komen steeds meer kralen bij. Kralen van leugens. En die ketting zit helemaal in de war.

Ran geeft zijn cadeautje aan Lisa. Door, Suus en ik staan erbij. We kijken naar het pakje dat Lisa openmaakt.

'Sam heeft ook iets,' zegt Ran. 'Maar dat is stuk.'

'Ach,' zegt Suus. 'Stuk?'

Ik trek mijn schouders op en schud mijn hoofd. Ran ziet het niet, die kijkt alleen maar naar Lisa. Ze is een beetje rood. Voorzichtig pakt ze het cadeautje uit. Ze zucht even als ze het kettinkje ziet en kijkt Ran aan.

'Mooi,' zegt ze zacht. 'Zal ik het omdoen?'

Ran zegt niets. Lisa maakt het slotje los en doet de ketting om haar nek. Ze prutst een beetje en draait zich om. Ran maakt de ketting vast. Lisa draait zich terug en wrijft over het hartje.

'Mooi,' zegt ze.

Ik krijg een duwtje van Suus. 'Pak me dan!' roept ze, terwijl ze wegrent. Ik hol achter haar aan, ze rent het plein af, steekt de straat over en schiet aan de overkant de bosjes in. Ik ren achter haar aan, ze staat achter een dikke boom. Ik sla mijn armen om haar heen en houd haar stevig vast.

'Ik heb je!' fluister ik.

Zo blijven we even staan.

'Het is niet stuk, Suus,' zeg ik zacht.

'Geeft niets,' zegt Suus. 'Ik kan niet spelen.'

'Waarom niet?' vraag ik.

'Ik moet naar mijn tante. Ik vind het heel stom. Ik was heel boos, vanochtend. Ik zei nog dat ik met jou moest spelen, maar mijn moeder luisterde niet. Vind je het erg?'

'Nee,' zeg ik en laat haar los. Ze draait met haar voet een kuiltje in het zand.

'Zullen we dan morgen?' vraagt ze.

'Echt?' zeg ik.

'Wat echt?'

'Wil je echt met me spelen?'

Ze knikt. 'Ja natuurlijk, we gaan toch met elkaar.'

Ik knik snel.

En nu weet ik het heel zeker.

Ik wil het helemaal goed doen.

Alles goed voor Suus. En voor Wiwi. En ook voor thuis. En ook voor school. Nooit meer van die stomme dingen. Nooit meer.

We worden geroepen door Ran. De school begint. Samen lopen we de bosjes uit, steken de weg over en komen op het schoolplein. Gelukkig, juf staat niet op het plein.

'En?' vraagt Ran meteen. 'Heb je het gedaan?'

'Wat?' vraag ik.

‘Gekust?’

Ik word knalrood.

‘Nee.’

26 En nu naar Wiwi

Ik heb het poesje in mijn broekzak. Ik doe mijn best om mijn hart niet te laten bonken en zo gewoon mogelijk te doen. Laten we maar meteen gaan drummen, en niet over geheimen gaan praten, dan word ik vast knalrood.

In de keuken zijn alle kaarten weg. Het ziet er leeg uit. Wiwi heeft de sloffen van haar man aan. Het is veel te warm voor die geruite dikke dingen.

'Idioot hé,' zegt ze.

Ik lach. Ze zegt het net als die vogel.

'Wat moet ik er nu mee? Wat moet ik met Harry z'n sloffen?'

'Weggooien,' zeg ik.

'Weggooien. Ja, dat is het beste. Maar dat kan ik nog niet.' Ze kijkt naar beneden, naar die dingen aan haar voeten.

'Wil jij ze?' vraagt ze.

'Ze passen mij toch niet,' zeg ik. En ik vertel haar maar niet dat ik nooit sloffen draag. Ik loop thuis altijd op mijn sokken en elke dag zegt mijn moeder wel tien keer: 'Trek je sloffen aan, ik was me de versuffing.'

'Pas eens,' zegt ze. 'Voor de lol.'

Ik trek mijn schoenen uit en stap in de sloffen. Natuurlijk, veel te groot.

'Nee,' zegt ze. 'Inderdaad. Ik moet ze maar wegdoen.'

Ach, misschien vindt ze het wel fijn. Ik houd ze aan.

Ik slof naar de serre, voor mijn volgende drumles.

'Let op,' zegt ze, als ik achter het drumstel zit. 'We gaan ritmes doen. Een, twee, niets, vier. Dus op de derde tel sla je niet.'

Ik sla op de kleine trom, op de grote, dan niets, en de vierde slag op het bekken. Eén, twee, niets, vier. Rechts, links, niets, rechts, links, rechts. Ik ben al in de war.

Wiwi zit rustig naast me. Ik moet het nog een keer doen. Rechts, links, niets, links.

'Drummen is heel makkelijk,' zegt Wiwi. 'Je hoeft maar tot vier te tellen.'

Zo makkelijk is het niet. Ze gaat steeds sneller tellen.

Ik moet mijn plan nog uitvoeren. Rechts, links, hoe kom ik bij het potje? Het gaat meteen fout, ik vergeet de rust. Rechts, links, hoe kom ik bij het potje? Weer fout. Nu vergeet ik te drummen.

'Ik moet plassen,' zeg ik na een tijdje.

Dat is goed. Op die gekke sloffen schuifel ik naar de wc. Zodra ik daar ben, stap ik eruit en loop op mijn sokken naar de keuken. Ik pak een stoel, schuif hem naar het keukenkastje, haal het poesje uit mijn zak en stop het in het potje. Als ik het terugzet, hoor ik Wiwi in de kamer. Ik sluit het kastje, sluip naar de wc, trek door en doe de sloffen weer aan.

'Zo,' zegt ze, als ik weer op de kruk zit. 'Dat lucht op.'

Ik word heel warm.

Ik maak een zootje van het drummen. Ik tel alles door elkaar en sla maar wat. Na een poosje schudt Wiwi haar hoofd. 'Het gaat niet,' zegt ze. 'Je hebt te veel aan je hoofd.'

Ik leg de stokken op de trommel. Soms denk ik dat mijn hoofd bij Wiwi doorzichtig wordt. Ze ziet alles.

'Heb jij nog een geheim?' vraagt ze als we in de keuken zitten.

Ik knik.

'Vertel.'

'Het zit erin.'

Wiwi kijkt me verbaasd aan. Ik wijs naar het keukenkastje.

'Daarin,' zeg ik.

Ze staat op, pakt het potje uit de kast en zet het op de tafel neer.

'Vertel,' zegt ze.

Ik wijs met mijn hoofd naar het appelpotje.

'Erin,' zeg ik nog een keer.

Ze trekt de plastic deksel omhoog, kijkt erin en glimlacht. Ze haalt het glazen poesje eruit en zet het in haar hand. 'Mooi,' zegt ze. 'Voor mij?'

Ik knik. Het poesje zet ze op de tafel, vlak bij de pot. Het is een tijdje stil.

'Mooi,' zegt ze weer. ' Aardig van je. Dit poesje krijgt een speciale plek. Dat snap je.'

Ze pakt het potje op, kijkt erin, schudt ermee en draait het om. Er rolt een euro uit. Meer niet. Ik neem snel een slokje drinken. Wiwi kijkt nog een keer in de pot, voelt met haar hand erin, maar er komt niets meer uit.

'Vreemd,' zegt ze, terwijl ze de euro erin terugdoet. 'Ik dacht dat er meer in zat.'

Ik zeg niets. Zij ook niet.

'Of was dit poesje eerst een briefje?'

Ik krijg het hartstikke heet, maar ik zeg niets.

'Nou ja,' zegt ze na een tijdje. 'Ik vind een poesje mooier dan een papiertje.'

Ik wil nu eigenlijk wel weg, maar ook helemaal niet. Misschien moet ik het poesje weer terugpakken en het geld er weer indoen. Maar hoe kom ik daaraan?

'Moeilijk hè,' zegt ze na een poosje. 'Om geheimen te vertellen.'

Mijn buik trekt samen. Ik knik heel even. Wordt ze nu boos? Moet ik weg?

'Weet je, hoe meer je ze vertelt, hoe makkelijker het wordt. Ik heb nog een geheim.'

'Vertel,' zeg ik snel.

'Ik weet het niet, maar ik vergeet van alles. Dat heb ik nog nooit gehad. Sinds mijn man ziek werd en doodging. Bloedirritant.'

Dan is ze stil.

'Is dat het?' vraag ik na een tijdje. 'Dat je dingen vergeet?'

Ze knikt. Haar grote bril schuift ze een beetje naar beneden.

'Wat vind je ervan?' vraagt ze.

'Handig.'

Ze moet lachen.

'En?' vraagt ze. 'Wat kost mijn geheim?'

'Niks,' zeg ik. 'Voor deze keer is het gratis.'

'Tja,' zegt ze dan. 'Zo schiet het niet echt op met de ijsjes. Maar ik heb nog nooit zo'n bijzonder geheimenpotje gehad.'

27 Helpen

Het regent zo hard dat ik kletsnat bij Wiwi aankom. De achterdeur is niet op slot. Ik maak hem open, roep Wiwi, maar ze komt niet. Ik ga naar binnen, trek mijn vest en schoenen uit in de bijkeuken en ga de keuken in. Er is niemand. Alle deuren staan open en het is raar stil in huis. Ik ga verder, door de openstaande deur naar de gang, en dan naar de kamer. Daar is ze. En ik zie het meteen: het poesje staat op de schoorsteen. Bah!

Wiwi zit op een stoel met de sloffen op haar schoot. Het is heel raar. Want heel even had ze niet in de gaten dat ik er was.

'Ha Sam,' zegt ze dan.

Ik weet niet goed wat ik moet zeggen.

'Je bent nat. Ik zal een handdoek voor je pakken.'

Ze staat op en houdt de geruite sloffen omhoog.

'Ik wilde ze wegdoen. Wat moet ik er nog mee? Ik kan er jou toch niet de hele tijd in laten lopen? Maar ik kan het niet. Ik kan gewoon niet die oude stinksloffen van mijn man wegdoen. Zoals ze daar stonden, leek het net of hij zou terugkomen. Maar hij komt niet terug. Dat weet ik toch!'

Ze kijkt me aan.

'Verdikkeme,' zegt ze. 'Nu zie je me hier zitten met al mijn verdriet.'

Ik trek mijn schouders op. 'Niks erg,' zeg ik. Maar ik voel dat mijn hart bonkt.

'Kom,' zegt ze en ze staat op. 'Ik ging wat doen. Wat ook alweer?'

'Een handdoek pakken.'

'Sjeempie,' zegt ze. 'Ik ben zo verstrooid als het maar zijn kan. Maar daar heb jij niks aan. Daar kom je niet voor hè, voor een ellendig mens.'

'Jawel hoor,' zeg ik snel. 'Zullen we gaan spelen?'

'Spelen?'

'Ja, samen.'

'Ja, dat is fijn.' Wiwi zet de sloffen naast de stoel op de grond en gaat achter de piano zitten. Ik kruip achter het drumstel, nog steeds nat, maar dat hindert niet.

'Wat gaan we doen?' vraagt Wiwi.

'Begin maar,' zeg ik. 'Dan speel ik wel mee.'

Wiwi gaat spelen. Zo hard dat ik bang ben dat ze door de toetsen zal zakken. Ze is woedend, denk ik. Razend.

Na een tijdje stopt ze. 'Doe je niet mee?' vraagt ze.

Ik knik. 'Vergeten.'

'Vergeten?'

Ik knik weer. Ik vertel maar niet dat ik het wel zie. Volgens mij is ze woedend van verdriet. Misschien ontploft ze zo meteen. Is ze dood van verdriet. En dan word ik ook verdrietig. Nog meer. Dan ga ik ook dood.

Ik draai snel mijn stokken in mijn handen en sla op de trommels. Ik moet goed luisteren, precies meegaan in de maat. Ik weet niet precies wat Wiwi speelt. Dat maakt niets uit. We doen maar wat. Ik krijg bijna lamme armen, maar ik ga door. Voor Wiwi. Voor ons.

Na de les loop ik naar huis. Onder een grote blauwe paraplu die ik van Wiwi heb meegekregen. Als je naar boven kijkt, zie je gekleurde vogels aan de binnenkant van het scherm. Het is net een film, die boven je hoofd me je meegaat.

We hebben het geheimenpotje niet gedaan, want ze had het me al verteld. Het was een duur geheim. De volgende keer moet ik geld meenemen en in het potje doen. Voor een ijsje. Lekker, in deze regen.

Thuis vraag ik mijn zakgeld.

'Waarom?' vraagt mijn moeder.

'Daarom,' zeg ik.

'Je dramt.'

'Ja, want ik wil het.'

'Dat zie ik,' zegt mijn moeder.

'O lieve mam. Ik heb het echt even nodig.'

'Wat dan?'

'Een geheim. Voor Wiwi. Please. Dan ben je de allerliefste moeder.'

Mijn moeder lacht. 'Dat ben ik sowieso,' zegt ze. 'Jouw allerliefste moeder.'

Ze pakt haar portemonnee en geeft me een euro. In het zakgeldboekje zet ze een kruisje bij deze week.

'Waar ga je heen?' vraagt ze, als ik weer weg wil gaan.

'Weg,' zeg ik.

'Ja, dat zie ik ook wel. Wat ga je doen?'

'Even weg.'

'Waarnaartoe?'

'Even iets doen.'

Mijn moeder schudt langzaam haar hoofd.

'Zwerver,' zegt ze. 'Halfzes thuis, dan gaan we eten. En doe de groeten aan Wiwi.'

Ik ga naar de winkel, en daarna naar Wiwi. Ze doet open en is weer heel gewoon.

'Alstublieft,' zeg ik en geef haar een reep chocola. De paraplu geef ik ook meteen terug.

'Waarom?' vraagt ze.

'Omdat de zon alweer schijnt.'

'Maar die chocola?'

Ik haal mijn schouders op. 'Eigenlijk moet het in het geheimenpotje. Maar ja.'

'Dat past niet,' zegt Wiwi.

Ze kijkt naar de reep en lacht.

'Ik zei het je toch,' zegt ze. 'Dat wij een bijzonder geheimenpotje hebben. Maar ja, wat wil je, met zo'n bijzonder kind.'

Ze kijkt mij aan en lacht nog steeds!

'Verkade, pure chocolade met stukjes hazelnoot. Precies mijn lievelingschocola.'

Dat geloof ik niet helemaal. Maar dat geeft niets. Terug naar huis huppel ik door de plassen.

28 Bijna goed

De juf deelt blaadjes uit. We krijgen zomaar ineens een dictee.

'Juf!' roep ik. 'Dat gaat niet!'

Juf kijkt me bestraffend aan. Ik mag natuurlijk niet door de klas roepen, dat weet ik wel. Maar mijn pen lekt. Ik heb al blauwe vingers.

'Heb je geen andere pen?' vraagt juf.

Die heb ik niet. Ik krijg er een van mijn lieve Suus. Een blauwe glitterpen. Ik schrijf mijn naam op het blaadje. Het staat er prachtig op.

De juf staat bij haar bureau en leest een zin voor: 'In het weiland stond een verdwaalde olifant luid te trompetteren.'

Ik schrijf de zin op. Het gaat vanzelf met die pen. En met de zon, die schijnt precies op mijn tafeltje. Ik zit te gloeien achter het papier.

Daar komt de volgende zin al: 'Een eindje verderop staat de verlichte feesttent van het circus.'

Ja! Ik weet hoe het moet. Feesttent schrijf je met twee t's, of eigenlijk met drie.

Als ik klaar ben, kijk ik naar Suus. Ze schrijft nog. 'Gaat het goed?' fluister ik.

Suus kijkt op, ze schuift haar blaadje naar mij toe, zodat ik het kan lezen. Ik knik, het gaat goed.

De juf ziet het meteen.

'Sam. Niet spieken.'

'Nee juf, bent u gek, het gaat veel te goed.'

Juf is meteen knalrood. 'Ik ben inderdaad niet gek,' zegt ze met strakke lippen.

Bijna wil ik wat terugzeggen. Dat komt door juf zelf. Bijna wil ik zeggen: 'Nou... juf.'

Maar ik doe het niet. Want ik mag niet brutaal zijn, en ik bedoelde het ook niet zo. Het floepte er vanzelf uit.

'Na een lange treinreis was het circus in het dorp neergestreken.'

Ik schrijf het op en zie het al voor me: een olifant in de trein. Best eng, als hij zijn slurf uit het raampje steekt. Langs het spoor staat vaak prikkeldraad.

'Onderweg waren ze in een heftige sneeuwbui terechtgekomen.'

'Ook dat nog,' mompel ik en schrijf ondertussen de woorden op. Het is raar om over de sneeuw te schrijven, terwijl het zonnetje zo lekker over mijn arm schijnt. Bijna krijg ik het koud, maar toch niet.

'Maar de directeur zei: "Verstand op nul."'

Ai, deze is lastig. Hoe schrijf je ook alweer 'directeur'. Ik schrijf het met een c, volgens mij moest dat.

'Dieren hebben toch al verstand op nul?' vraag ik.

'Sammm,' zegt de juf. 'Ssst.'

Ik kijk naar mijn juf die met het blaadje in haar hand voor in de klas staat. Ineens zie ik het. Ze is dunner geworden.

'Juf!' roep ik. Maar de rest van mijn woorden slik ik snel in. Tijdens een dictee mag je niet praten.

'Laatste zinnen,' zegt juf. 'Uiteindelijk zijn alle dieren veilig aangekomen. Maar bij aankomst ontsnapte de olifant. Hij had blijkbaar geen zin in kunstjes.'

Ik schrijf alle woorden op, terwijl de juf ze langzaam herhaalt. Als ik klaar ben, schrijf ik onderaan: 'Juf, bent u dunner geworden? Sam.'

Juf komt langs, ik geef mijn blaadje aan haar.

'Het ging hartstikke goed, juf,' zeg ik.

'Dat zullen we dan eens bekijken,' antwoordt ze.

Ik sta op, en wijs onder aan het dictee. De juf leest het. Ze wordt een beetje rood en knikt naar me. Ik zie haar een heel klein beetje lachen. Net alsof ze gewoon een mens is.

Aan het eind van de middag deelt juf de nagekeken dictees uit. Als ze bij onze tafels staat en mij het blaadje wil geven, schudt ze haar hoofd. Meteen ben ik bang. Heb ik het allemaal fout gedaan?

'Ik begrijp het niet,' zegt juf. 'Je hebt een voldoende, een "bijna goed".'

Ik gris het blaadje uit haar hand en kijk ernaar. Een bijna goed!

'Suus!' roep ik, die ook haar blaadje krijgt. 'Een goed, bijna!'

Ik sla mijn armen om haar heen en geef haar een zoen op haar wang. Zomaar, waar iedereen bij is.

29 Spijbelen

'Ik heb een heel groot geheim, maar eigenlijk is het geen geheim, want ik zeg het meteen: ik heb een bijna goed voor mijn dictee. Bijna!'

Op de tafel bij Wiwi liggen twee grote knijpers aan snoeren. Er staat een groot ding naast. Wiwi laat meteen de knijper los die ze net van het grote ding af haalde en kijkt me aan. 'Geweldig,' zegt ze. 'Maar ja, logisch. Jij bent ook zo goed. Niet bijna goed, maar helemaal.'

'Dit is mijn eerste,' zeg ik.

'Sinds wanneer?'

'Dit jaar.'

Wiwi staart me aan, ik word er zenuwachtig van.

'Vond ze je nooit eerder goed? Dan heb je een beetje aparte juf.'

'Ja, ja,' zeg ik. 'Wat is dat?' En ik wijs naar het grote ding.

'De accu van mijn motor,' zegt Wiwi. 'Hij heeft aan de oplader gestaan, en ik heb de vloeistof bijgevuld. Als het goed is, doet hij het weer.'

'Wie?' vraag ik.

'Mijn motor. We reden altijd samen, mijn man en ik. Sinds hij dood is heb ik niet meer gereden. En nu ga ik kijken of ik het nog leuk vind. Ga je mee, gaan we een joekel van een ijs eten.'

'Waarheen?'

'Een stukje op de motor.'

'En mijn drumles dan?'

Wiwi lacht. 'We gaan spijbelen,' zegt ze. 'En je "goed" vieren.'

'Bijna goed,' zeg ik.

'Ben je gek. Helemaal.'

Wiwi belt mijn moeder en ik mag achterop. In de garage staan twee motoren, een Harley Davidson van Wiwi en een Triumph van haar man. Wiwi prutst de accu op zijn plaats, sluit een paar kabeltjes aan en start de motor. Hij doet het! Ze zet hem weer uit.

Eerst moeten we pakken aan. Een broek, een jas, laarzen, handschoenen. Ik word helemaal aangekleed. Dan nog een helm. Met stijve benen van de dikke broek loop ik naar buiten. Wiwi gaat op de motor zitten, klapt de standaard in en komt naar buiten. Daar drukt ze op een knopje bij het stuur en start de motor.

'Klim maar achterop!' roept ze dwars door het lawaai heen. 'Zet je voet op de treeplank, houd me vast en klimmen maar.'

Ik pak Wiwi bij haar bovenarm, ga op de treeplank staan en slinger mijn been over het zadel.

'Zit je?' roept ze naar achteren.

'Ja!'

'Hou je goed vast!'

Ik sla mijn armen om haar heen.

'Sluit je handen!' roept ze. 'Er moet geen lucht tussen ons in komen, anders blaas je weg!'

Maar dat gaat niet, Wiwi is veel te dik in dat pak, mijn armen passen niet om haar buik.

'Grijp dan mijn jas goed vast. Zit je? Daar gaan we!'

Wiwi geeft een paar keer gas, terwijl we stilstaan. Ik leg mijn helmhoofd tegen haar schouder en kijk voor me uit. We rijden de tuin uit, het pad over, naar de straat. Daar geeft ze gas. Ik val bijna achterover, maar kan me net op tijd vastgrijpen. Volgens mij gaan we loeihard.

'Gaat-ie?' roept Wiwi naar achteren.

'Ja!' roep ik. De tranen springen in mijn ogen. Ik ben vergeten het plastic ding op de helm naar beneden te trekken, en nu durf ik geen hand los te laten om dat te doen. Dan maar liters tranen. Ik doe mijn ogen dicht en klem me stevig aan Wiwi vast. De motor trilt door mijn buik.

Bij een stoplicht staan we stil. Snel sluit ik het raampje van de helm. Wiwi roept weer iets naar achteren, maar ik versta haar niet. We rijden verder door de duinen. Ik ruik de zee al! Die ruik ik nooit als we in de auto naar het strand gaan. Dicht tegen Wiwi aan geplakt laat ik me rijden. Dit mag wel uren duren.

Maar het duurt geen uren. De motor doet gek, we gaan langzamer rijden en Wiwi stuurt naar de kant. Op een smalle strook van de weg blijven we staan.

'Wat is er?' vraag ik.

'Ik weet niet,' zegt Wiwi. 'Stap eens af.'

Dat doe ik en ik ga bij de motor staan. Wiwi draait de dop van de tank, kijkt erin, schudt de motor heen en weer en zucht.

'Wat een kalkoen,' zegt ze. 'Benzine. Straal vergeten.'

'Hoe kan dat?' vraag ik.

Ze laat me de kilometerteller zien. Er is geen lampje dat aangeeft dat je benzinetank leeg is. Daarom moet je goed opletten hoeveel kilometers je gereden hebt.

'En ik lette niet op,' zegt Wiwi.

We moeten lopen. In die pakken, met de helm onder de arm. Over het voetpad. Helemaal naar het pompstation. We lopen niet snel, vooral Wiwi niet.

'Ik heb pijn,' zegt ze. 'Ik word een oud mens. Vergeet te kijken of de tank gevuld is, mijn heup werkt niet meer mee. Wat moet er nu van me terechtkomen?'

'We kunnen wel even rusten,' zeg ik na een tijdje. 'Daar is een bankje.'

'En een ijstent,' zegt Wiwi.

Vlak voor een groot parkeerterrein gaan we zitten. We leggen de helmen naast ons op de bank, trekken de jassen uit, maar houden die gekke broeken aan. Zo lopen we naar de ijstent. Jammer genoeg is er geen schepijs met slagroom, maar ik mag de grootste uitkiezen, een cornetto met veel nootjes.

'Leuk tochtje, maar niet heus,' zegt Wiwi, als we op het bankje het ijs eten. 'Je moeder zal wel denken: waar blijven ze?'

'Nee hoor,' zeg ik.

'Misschien moet ik het maar niet meer doen,' zegt Wiwi, terwijl ze van haar ijsje likt. 'Misschien moet ik ze allebei verkopen en er niets meer mee willen.'

Ik zie het voor me. Het huis van Wiwi wordt steeds leger. Eerst de kaarten, toen de sloffen, nu de motoren.

'Ik kan toch helpen?' zeg ik.

'Helpen?'

'Als we gaan rijden, denk ik aan de benzine.'

Wiwi draait zich naar mij toe.

'Dat is misschien een goed plan. Kom, we gaan weer verder.'

We gaan verder, we moeten nog een stuk langs het fietspad lopen. Als we eindelijk bij het pompstation zijn, koopt Wiwi een tankje en giet het vol met benzine. Binnen rekent ze af en we gaan weer naar buiten. Daar kijkt Wiwi om zich heen. Er staan een paar wagens bij de pompen. Wiwi loopt naar een blauwe Audi, tikt tegen het raam en als dat opengaat, zie ik dat ze met iemand praat. Al snel komt ze overeind en wenkt me. We kunnen meerijden met een mevrouw die ook onze kant op gaat.

In onze dikke broeken, met de helmen en de jassen, gaan we in de auto zitten. Wiwi voorin en ik op de achterbank. Kan dat zomaar? Worden we niet ontvoerd? Ik mag nooit met vreemde mensen meegaan. Nu wel.

We worden afgezet bij de motor. Wiwi giet het tankje erin leeg, geeft het aan mij en start de motor. Hij doet het!

Wiwi zet de motor weer uit. We doen onze jassen aan en maken onze helmen vast. Er komt een hond uit de struiken. Kwispelend komt hij op me af. Ik buk me en aai het beest. Ondertussen kijk ik om me heen of ik zijn baas zie. De hond moet niet alleen over straat lopen.

Uit de bosjes komt een grote jongen. Ik aai de hond net zo lang totdat de jongen naar ons toe komt. Snel maakt hij zijn hond vast.

'Bedankt,' zegt hij. 'Dat je hem vasthield.'

'Tuurlijk,' zeg ik.

'Leuk beest,' zegt Wiwi. 'Echt een hond voor jou. Is dat niets voor jou, wil je geen hond?'

Ik schud mijn hoofd.

'Zou je er een mogen?'

Ik trek mijn schouders op.

'Of heb je er een?'

'Hij is dood,' zeg ik. Terwijl ik me nog zo had voorgenomen om er nooit iets over te zeggen, zodat ik er nooit meer aan zou denken.

Wiwi trekt aan het riempje van de helm. Ze duwt hem met haar handen nog iets verder op haar hoofd, totdat hij goed zit. 'O,' zegt ze. 'Al lang?'

Ik schud mijn hoofd. Wiwi kijkt me aan, ze wacht. Zeker totdat ik meer ga vertellen, maar dat doe ik niet.

Ze kijkt me weer even aan. Met de helm op haar hoofd. De rimpels in haar gezicht lijken nu veel erger dan anders. Ze lijkt net een samengeperst oud appeltje. Ik zet ook mijn helm op.

'Volgens mij is dit een heel duur geheim,' hoor ik haar zeggen.

Ik antwoord niet.

'Zullen we?' vraagt ze.

Ik knik en klim bij haar achterop. We rijden verder. Ik leg mijn hoofd tegen haar rug. Mijn hoofd, met al mijn geheimen.

30 Net een cadeau

'Zeg, die hond,' zegt Wiwi, als ik de volgende keer bij haar ben. 'Hoe zit dat precies?'

Ik zit achter het drumstel, we zouden net beginnen, als Wiwi ineens over mijn hond begint.

'Ja,' zegt ze. 'Ik vergeet veel, maar niet alles. Hoe heette je hond?'

'Vuur,' antwoord ik.

'Vuur,' herhaalt Wiwi. 'Wat een prachtnaam. Sinds wanneer is-ie dood?'

Ze vraagt het zomaar. Terwijl ik er nooit meer over wilde praten, omdat ik nooit meer verdrietig wilde worden.

'Na een maand,' zeg ik.

'Na een maand?' Wiwi zit op haar pianokruk naar me toe gedraaid. 'Wat bedoel je?'

'We hadden hem een maand, toen was hij dood.'

'Sammie,' zegt Wiwi. 'Zo kort. En wanneer dan?'

'Toen ik hier net was.'

Ze kijkt me vragend aan.

'We woonden net in het nieuwe huis, met de nieuwe juf. Toen kregen we Vuur, een roodgevlekte hond. En toen werd hij doodgereden.'

Wiwi zegt helemaal niets. Ik draai de drumstok in mijn hand.

'Sam,' zegt ze na een tijdje.

Ik kijk naar de grond.

'Je was zeker hartstikke boos?'

Ik knik.

'Daarom begreep je mij zo goed.'

Ik knik weer. Er zit iets raars in mijn buik dat gaat draaien en rommelen.

'Was je toen in de war, net als ik? Vergat jij ook dingen?'

Ik knik weer.

'En toen vond de juf je nooit goed?'

Ik schud mijn hoofd.

'Begreep ze dat je dingen vergat?'

Ik schud weer mijn hoofd.

Wiwi kijkt me aan.

'Sam,' zegt ze. 'Dus jij kwam in een vreemd huis, op een vreemde school, eerst had je geen hond, toen wel, maar hij was meteen weer weg?'

Ik knik. En ineens vallen er allemaal tranen op de grond. Nou gaat het toch gebeuren! Het komt helemaal onder uit mijn buik. Allemaal hikken, en Vuur en tranen.

Wiwi komt naar me toe, ze pakt mijn hoofd vast en legt het tegen haar buik. Ik voel dat die zacht is. Ik laat mijn stokken vallen, ze rollen over de grond. Wiwi aait over mijn haar en ik huil haar jurk nat, terwijl ik zie dat Vuur in de kamer is en van Daan naar mij rent, dat we hem uitlaten met een nieuwe blauwe riem, dat hij bij me in bed ligt. En dan moet ik nog meer huilen. De hele maand dat Vuur bij ons was. En dat hij daar dood lag en ik hem droogmaakte en we hem begroeven en ik zand over hem heen gooide. Ik huil maar door. Totdat het klaar is. Dan moet ik heel diep zuchten.

Wiwi's buik is kletsnat. Ik trek mijn neus op, het snot loopt er zomaar uit. Wiwi laat me los en loopt weg. Even later is ze terug met een theedoek en een glas water. Met de theedoek mag ik mijn gezicht droogmaken en mijn neus snuiten.

'En nu ben je hier en drum je retegoed,' zegt Wiwi.

Ik moet lachen. Wie zegt er nu 'retegoed'?

Ik pak de drumstokken van de grond en sla op de kleine trommel.

'Sjeempie,' zegt Wiwi. 'Sjeempie, Sam. Als ik een lintje had, strikte ik dat om je heen.'

'Waarom?' vraag ik.

'Omdat ik je net een cadeau vind. Jij bent geweldig,' zegt ze. 'Ik heb alleen één probleem.'

Verschrikt kijk ik haar aan.

'Het geheimenpotje is te klein geworden. Zo'n verhaal past er natuurlijk nooit in.'

Ineens denk ik ook weer aan het poesje. Zal ik het zeggen?

'Ach laat maar,' zeg ik snel. 'Van ijsjes eten word je toch maar dik.'

Wiwi proest het uit. 'Man!' roept ze. 'Wat een wijsheid!'

Ik sla nog maar eens op de trommel. Wiwi loopt naar de piano en gaat zitten. Ze wiebelt een paar keer met haar vingers en gaat dan spelen. Zachte, mooie tonen. Ze speelt en ik doe nog even niets. Ik luister. Naar Wiwi die voor me speelt, met vuur.

31 Als een stoeptegel

We oefenen en tellen elke week. Het lijkt wel alsof het makkelijker gaat, sinds ik het geheim van Vuur heb verteld. Alsof ik minder bang ben. We doen nu al heel moeilijke dingen. Ik moet bijvoorbeeld niet op de eerste tel slaan, maar pas op de tweede. Maar vandaag lukt het weer eens niet.

Nog een keer. Eén, twee en ik geef een klap op de bassdrum. Te laat.

Nog een keer, het gaat niet.

Wiwi zet de cd-speler aan. Er is een cd met oefennummers om mee te drummen. Ik luister, maar sla te laat. Het lijkt alsof mijn ellebogen aan mijn zijkanten geplakt zitten.

We doen het nog een keer. Weer niet goed.

Wiwi zet de cd-speler uit.

'Sam,' zegt ze. 'Je speelt als een stoeptegel.'

'O,' zeg ik en laat mijn armen zakken. 'Een stoeptegel.'

'Het ging zo goed, je speelde lekker los. En nu lijk je vastgeplakt. Aan iets. Alleen weet ik niet wát.'

'Zie je wel,' zeg ik.

'Wat?'

'Dat ik het niet kan.'

Wiwi schudt haar hoofd. 'Natuurlijk kun je het. Alleen zit er iets, een klont, een soort drol. En die moet er even uit. Kom op, we gaan spelen. Jij mag kiezen, lekker hard en snel, lekker hard en langzaam, of zacht en zielig. Je zegt het maar.'

Wiwi staat op en loopt naar de piano.

'Hard en zielig,' zeg ik. Dat kan vast niet.

Wiwi gaat zitten, ze spreidt haar vingers boven de toetsen, wiebelt ze een paar keer heen en weer en gaat dan spelen. Eerst zacht en lief, dan hard en boos, dan zielig. Ik weet niet hoe ze het doet, maar het klinkt zo. Ik geef een klap op de hi-hat en een boink tegen de bassdrum. Wiwi knikt naar me. Ik doe het goed. En ik ga door. Als ik goed luister, kan ik met Wiwi mee.

'Zo,' zegt ze na een poosje. 'Prachtig.' Wiwi houdt op met spelen en draait op haar kruk naar mij toe.

'Geheimenpotje?'

Ik trek mijn schouders op.

'Je verkering?'

'Verkering?'

'Ja, Suus.'

Ik word rood. Verkering, wat een raar woord. Maar ik schud mijn hoofd. Met Suus is het goed, ik zit nog steeds naast haar en ik vind haar nog steeds lief.

'Je vriend?'

Ook niet.

'Wat dan?' vraagt ze. 'Je juf?'

Ik knik.

'Verdikkeme, wat nu weer?'

Wiwi is meteen boos. Zal ik het dan maar niet zeggen?

'Nou, vooruit, wat is er?'

'Ik mag geen gedichten schrijven.'

'Wat bedoel je?'

'We hebben een project, gedichten schrijven. Maar

de juf vindt me niet goed genoeg. Ze zegt dat ik nog te weinig taalgevoel heb.'

Wiwi slaat met haar vuist op de pianotoetsen. 'Is die juf helemaal van de pot getrokken,' zegt ze. 'Táálgevoel?! Als er één is die gevoel heeft, ben jij het wel.'

'Ik moet tekeningen maken. Bij een gedicht van een ander.'

Wiwi staat op. 'Hoe heet ze? Ik ga naar haar toe. Wat is dat voor een juf? Jij gaat gedichten schrijven. Als jij dat wilt, dan doe je mee, net als de anderen. En dat ga ik haar vertellen.'

Snel kom ik overeind en pak Wiwi bij haar arm. 'Doe maar niet,' zeg ik.

'Wel,' zegt Wiwi. 'Leert de wereld het nou nooit? Leert zo'n juf het nou nooit? Gevoel, gevoel. Als je niets mag, leer je niets en word je nooit groot.'

Ik trek aan Wiwi's arm.

'Kom maar,' zeg ik. 'Dan gaan we spelen.'

Even aarzelt Wiwi. Ze kijkt me aan, denkt na en gaat dan zitten. Ze legt haar handen op de toetsen, ik ga ook zitten en net als ik wil beginnen, haalt Wiwi haar handen weg.

'Schrijf jij maar je eigen gedicht hoor,' zegt ze beslist. 'Desnoods thuis, of hier.'

'Mwah,' zeg ik. 'Ik kan het niet, denk ik.'

Wiwi kijkt me strak aan en schudt haar hoofd. 'Geen wonder dat je als een stoeptegel gaat drummen.' Ze zet haar vingers weer op de toetsen en begint te spelen.

'Kom op Sammie,' zegt ze over de muziek heen. 'Spelen! Tegen de keer in, jongen. Ertegenin!'

'En de maat dan?' vraag ik. 'We hebben nog niet geteld.'

'Die vinden we wel!'

32 Geen rare dingen meer!

'Ik heb iets bedacht,' zegt Wiwi, als ik de week erna kom oefenen. 'We gaan geen gedichten schrijven, we gaan samen optreden.'

Ik verslik me bijna in een slok limonade. De poes, die op mijn schoot ligt, wordt er wakker van.

'Wat denk je, dat kunnen we wel, hè?'

Nu word ik ook nog knalrood.

'Ik kan helemaal niets,' zeg ik.

'Natuurlijk wel.'

We zitten aan de grote tafel in de keuken. Dat doen we altijd voordat we met de les beginnen. En daarna drinken we meestal ook nog wat. Tenzij ik vroeg thuis moet zijn, of Wiwi ergens naartoe moet. De poes is van mijn schoot gesprongen en staat bij de gangdeur te miauwen. Dat doet ze vaak, alsof ze weet dat we straks gaan spelen en ze alvast een lekker plekje gaat uitzoeken om te luisteren. Altijd hetzelfde, op de grond, vlak bij mijn kruk.

Wiwi maakt de deur voor haar open en gaat weer zitten.

'Wat vind je ervan?' vraagt ze.

Ik weet het niet. Wat moeten we dan spelen, en voor wie en waar?

Wiwi weet overal een antwoord op. We spelen voor haar vrienden, de bejaarden dus. En voor Ran en Suus en voor mijn ouders en Daan. We doen het in haar huis.

'En we spelen drie keer dezelfde nummers. Weet je de grap daarvan?' vraagt Wiwi.

Ik weet niets.

'Dat niemand hoort dat je drie keer hetzelfde speelt,' zegt ze. 'De meeste mensen zijn na een poosje het melodietje vergeten, zodat je het best nog een keer kunt spelen. En tussendoor houden we pauze, dan drinken we wat en dan mogen de mensen met de artiesten praten.'

'De artiesten?' vraag ik.

'Ja, dat zijn wij.'

'Poe,' zeg ik.

'Nou, vertel, lijkt het je wat?'

'En als ik dan fout speel?'

'Met een stalen snoet doorspelen,' zegt Wiwi. 'Dan merkt niemand het.'

'Nou, dat moet ik dan nog wel leren,' zeg ik. 'Met een stalen snoet spelen.'

'Ja. Kom op, we gaan aan de slag.'

Ik loop de kamer in en zie het poesje op de schoorsteen staan. Mijn hart slaat een slag over. Daar heb je het. Geven we een optreden, ziet Ran het poesje dat voor Suus was en zal hij ernaar gaan vragen. Had ik het nu toch maar eerder gezegd!

'Kom,' zegt Wiwi, als ze achter de piano zit, en ik achter de drums. Maar er komt niets uit mijn handen. Ik lijk wel een standbeeld geworden. Mijn gedachten gaan razendsnel: als Ran hier komt, en Suus, gaat hij er wat van zeggen. Dus moet het poesje weg, of ik zeg dat ik toch maar geen uitvoering wil geven. Dan zal Wiwi vragen: waarom niet? Of ik haal het poesje weg, maar dan zal ze het missen en dan durf ik nooit meer terug te komen. En dat wil ik niet. Ik wil bij Wiwi blijven en daarom zal ik het goed doen. Natuurlijk! Ik kan geen rare dingen meer doen!

'Wiwi, het poesje was eigenlijk voor Suus.' Ik gooi het er zomaar uit.

Wiwi zat al te pingelen, maar ze stopt meteen. Met kruk en al draait ze naar me toe.

'Wat zeg je?' vraagt ze.

'Het poesje was niet voor jou, maar voor Suus.'

Wiwi kijkt van de schoorsteen naar mij. Ze zegt niets.

'Het ging een beetje mis,' zeg ik. 'Toen, die keer. Vroeger.'

Wiwi knikt. 'Dat dacht ik al.'

'Dacht u het al?'

Ze knikt weer.

'Waarom zei u dan niets?'

'Moest ik jouw geheim gaan verklappen?'

'Hè?'

'Het was toch jouw geheim?'

'Ja.'

'En nu vertel je het zelf.'

'Ja, maar wat moet ik nu doen?'

'Ik weet niet,' antwoordt Wiwi.

'Hij is van u, maar was voor Suus. En als zij dan komt, of Ran, dan...'

'En ik ben er nu al aan gehecht. Ik zie wel honderd keer op een dag het poesje, en dan denk ik even aan jou.'

Ik krijg het warm vanbinnen. Dat Wiwi zo vaak aan me denkt!

'Maar nu niet meer,' zeg ik.

'Waarom niet?'

'Omdat ik slecht ben.'

Wiwi schiet in de lach. 'Gelukkig wel,' zegt ze.

'Zo gelukkig is dat niet.'

'Zeg, heilig boontje. Stel je voor. Heilige bonen zijn vreselijke wezens.'

Heilige boon. Sperzieboon. Tuinboon.

Wiwi staat op, gaat de kamer uit en komt even later terug met het geheimenpotje in haar hand. Er rammelt iets in. Er rammelt van alles in.

'Voor al je geheimen,' zegt ze, als ze me de muntstukken van twee en één euro laat zien. 'Pak er maar uit wat je nodig hebt.'

Ik kijk haar verbaasd aan.

'Voor een poesje van Suus. Dan maar geen ijs.'

Wat zal ik pakken, drie euro of vijf? Ik pak drie euro, de rest laat ik liggen.

'Was de poes niet duurder?' vraagt Wiwi.

'De rest was voor Ran.'

'Ah, dat was een goed doel voor de poen. Dan laten we deze euro's in het potje zitten. Kom, we gaan spelen, we moeten er hard tegenaan.'

33 Plakplaatje

Het poesje zit in het voorvakje van mijn rugzak. Verpakt in goudpapier, met een groene strik eromheen. Ik ben vroeg van huis gegaan. Hopelijk is Suus al op school.

Ik zet mijn fiets in de stalling en loop het plein op. Ran komt net aangefietst, over het plein, wat niet mag. Maar hij scheurt hard door en remt met een gierende achterband vlak voor me.

'Ik heb een nieuwe bal,' zegt hij. Ik kan het zien, want op zijn rug zit een gigantische bochel.

'Het is vrijdag,' zeg ik.

'Nou en.'

'Dan mogen alleen de meisjes voetballen.'

'Nou en. Dan doen ze met ons mee.'

Ik zie Suus het plein op komen. Meteen gaat mijn hart harder kloppen. Ze huppelt over de tegels, terwijl ze haar tas hoog heen en weer slingert.

'Ik moet naar Suus,' zeg ik.

'Waarom?' vraagt mijn vriend.

'Iets geven.'

'Wat?'

'Zeg ik straks wel, ik moet nu naar haar toe.'

Ran grinnikt en stept weg, met een voet op de trapper.

Ik loop naar Suus toe en vraag of ze even meegaat. Ze wordt meteen rood!

'Waarnaartoe?' vraagt ze.

'Naar de bosjes?'

'Is goed.'

We steken de straat over, ik kijk goed uit of er niemand aankomt. We lopen tussen de struiken door naar een plek waar niemand ons kan zien. Daar haal ik mijn rugzak van mijn rug, maak het voorvakje open en geef Suus het pakje.

'O,' zegt ze. 'Waarom?'

Ik geef geen antwoord, kijk hoe ze het pakje openmaakt en het poesje voorzichtig uit het ritselpapier haalt.

'Mooi,' zegt ze, terwijl ze het van alle kanten bekijkt. 'Een poes, een gele. Of is-ie groen?'

Ze houdt hem tegen het licht en laat er een zonnestraal op vallen. 'Nu is-ie groen,' zegt ze. 'Net als mijn bril.'

'Vind je hem mooi?' vraag ik.

'Ja, dat zei ik toch. Heel mooi. Was dat wat stuk was?'

Ik voel dat ik rood word en zeg niets. Suus hoeft er blijkbaar ook geen antwoord op, want ze praat meteen door. Ze heeft ook iets voor mij. Ze legt het poesje in het ritselpapier, vouwt het dicht, doet het gouden papier er ook omheen en bergt het op in haar tas. Dan pakt ze een klein envelopje en haalt er een papiertje uit.

'Een tatoeage,' zegt ze. 'Ik heb er ook een.'

Nu zie ik het pas: op haar bovenarm zit een grote draak. Heel stoer.

'Wil je?' vraagt ze. 'Maar ik heb geen water.'

Zonder een antwoord van mij af te wachten, likt ze over het plakplaatje. Ik houd mijn arm voor haar en met een klap plakt ze het plaatje op mijn bovenarm. Nu moeten we wachten, wel vijf minuten. Suus staat dicht bij me. Ik heb mijn hoofd gedraaid, om goed te kunnen zien of het plaatje al vastzit. En dan gaat het bijna vanzelf. Ik geef Suus een kus. Ze wordt rood. Ze kijkt me aan en lacht. Recht onder een zonnestraal.

34 Huilen en spelen tegelijk

Een week voor de uitvoering ben ik bij Wiwi om te oefenen.

'Sam,' zegt ze, als we eerst limonade drinken, 'voordat we beginnen, wil ik je wat vragen. Ik ga een maandje naar mijn dochter in Australië. Zou jij voor Saar willen zorgen?'

Ik word helemaal koud. 'Voor Saar zorgen? Wat moet ik dan doen?'

'Eten geven; blik en brokjes. En iedere dag vers water.'

'En als ze dan de weg oversteekt?' vraag ik. 'Of wegloopt, of...'

'Maak je geen zorgen, Sammie. Saar steekt zo vaak de weg over.'

'Ja maar...'

'Vul haar bak met brokjes, schud ermee en ze komt naar je toe. Als ze gegeten heeft, pak haar dan op en zet haar op je schoot. Knuffel het beest, totdat ze spinnend in slaap valt.'

'En dan?'

'Dan leg je haar neer en laat haar slapen.'

'Dan slaapt ze helemaal alleen.'

'Ja, dat vindt ze niet erg. En als je er bent, haal je dan ook de post uit de brievenbus en geef je een keer in de week de planten water? Ik zal ze allemaal bij elkaar in de kamer zetten.'

'Dan ben ik alleen in het grote huis?' vraag ik.

Wiwi knikt. 'Ik heb je ouders er al over gebeld. Zij zullen je helpen. Als jij maar voor Saar zorgt,' zegt Wiwi. 'Ze is dol op je.'

'Ja, ja,' zeg ik. 'Ik zal erover denken.'

We repeteren alle nummers, maar het gaat niet goed. Wiwi vraagt wat er aan de hand is, maar ik weet het niet. Ik weet het wel. Als ik denk aan Wiwi die weg is, ben ik nu al alleen.

'Sam?' vraagt Wiwi nadat we al drie keer hetzelfde nummer hebben gespeeld. 'Waar is je vuur?'

En nu denk ik ook nog aan Vuur. Alles wordt zwart en mijn armen kunnen niet meer spelen. Ze hangen kaarsrecht naar beneden. Het liefst liep ik nu weg, want er komen tranen aan. En als ik dan heel hard ren, kan ik ze vóór blijven. Maar ze prikken dwars door mijn ogen heen. Twee zoute tranen. Nee!

'Sammie,' zegt Wiwi, terwijl ze zacht op de piano speelt. 'Ik kom terug. En jij kunt het. Wat kun jij? Alles.'

Nu komen er nog twee tranen. O nee! En nog twee.

'En als je moet huilen, dan huil je,' zingt Wiwi. 'Pak je stokken vast, en speel maar met me mee.'

'Dan kan niet,' zeg ik.

'Waarom niet?' vraagt Wiwi, terwijl ze blijft spelen en ondertussen naar mij kijkt.

'Omdat ik huil.'

'Kan best, huilen en spelen tegelijk.'

Ik sla op de trommels, terwijl er zomaar tranen over mijn wangen glijden. Ik zie niets meer, met die natte ogen. Maar ik speel, en misschien klinkt het nog mooi ook.

35 Snoep

'Dat je het zomaar durfde,' zegt Ran. 'Was je niet zenuwachtig?'

We lopen in het winkelcentrum. Ran heeft geld en we gaan snoep kopen.

Gisteren was de uitvoering en die is heel goed gegaan. Ran was er, en Suus, en mijn ouders en Daan. Hij vond het heel goed wat ik had gedaan. Iedereen vond het mooi, want ze klapten allemaal.

De vogel zit weer buiten in de kooi.

'Idioot!' roept Ran.

'Idioot!' roept de vogel terug. 'Rot op!'

Ran ligt dubbel van het lachen. 'Hoe heb je dat geleerd?' roept hij.

'Rot op!' roept de vogel nog een keer.

We lopen verder, naar de snoepwinkel. Binnen hangt een wolk van zoete geur. Ran pakt een puntzak en geeft hem aan mij. 'Hier,' zegt hij. 'Scheppen.'

'En jij dan?' vraag ik.

'Doe jij maar,' zegt Ran.

'Waarom ik?'

Ran slaat me weer op de schouder. 'Man, omdat je hartstikke goed was. Jij wordt later vast beroemd.'

'Nah,' zeg ik. 'Dat weet ik niet hoor.'

Ik schep de zak vol: sleuteldroppen voor ons allebei, kauwgommen, groene apenkoppen en grote smileydroppen. Als je die in je mond stopt, kun je niets meer zeggen, alleen maar je wangen heen en weer bewegen totdat er ruimte komt om te gaan kauwen.

We gaan weer op het bankje zitten, in het midden van het winkelcentrum. Ik houd de zak open, wij zitten schuin naar elkaar toe gedraaid en eten achter elkaar door. Het komt goed uit, ik had honger als een paard.

'Ik wist het niet,' zegt Ran met volle mond, terwijl hij ondertussen zijn hoofd schudt. 'Ik wist niet dat je zo goed kon drummen.'

'Nee, natuurlijk niet.' Met mijn tong pulk ik de drop van mijn kiezen. Ik kijk naar de draak op mijn bovenarm. Het was een goeie, want hij zit er nog steeds op. Het staat net echt.

'Wat ik vragen wilde,' zegt Ran, net nadat hij weer een snoep in zijn mond heeft gestopt, 'ik wil ook drumles, kan dat?'

Mijn tong blijft in mijn kies steken. Ran op drumles. Bij Wiwi? Wanneer? Dan worden ze ook vrienden. Dan komt er ook een geheimenpotje, dan gaat hij ook op de motor. Mijn maag trekt samen. Misschien is er al iemand anders! Misschien komt er elke maandag, als ik er niet ben, een ander kind op drumles, gaat hij mee motorrijden, denkt hij aan de benzine, loopt hij in de sloffen van Wiwi's man, heeft hij pas een uitvoering gehad.

'Je zegt niets,' zegt Ran.

'Nee.'

'Maar kan dat?'

'Ik zal het vragen,' zeg ik.

'Maar,' zegt Ran, 'zo goed als jij word ik nooit.'

Ik kijk naar mijn vriend die naast me op het bankje zit. Mijn goeie, lieve vriend.

'Tuurlijk wel,' zeg ik. 'Bij Wiwi lukt alles.'

36 Doei dag weg

Wiwi doet niet open. Ik wacht en na een poosje hoor ik boven een raam opengaan. Wiwi kijkt naar beneden en roept me naar boven te komen. De deur is niet op slot, ik duw hem open en ga naar binnen.

Ze is in haar slaapkamer. Er is verder niemand. Op het grote bed liggen stapeltjes kleren. Wiwi loopt naar de kast, pakt er spullen uit en legt ze op het grote bed. Er ligt een lijst bij waar ze steeds op kijkt.

'T-Shirts heb ik,' zegt ze. 'Broeken ook. Twee lange en een korte.'

Ik stel me Wiwi voor in een korte broek. Het lijkt me een grappig gezicht. Ik ga op een stoel aan een ronde tafel bij het raam zitten. Er ligt een stokje met een handje eraan op de tafel.

'Wat is dat?' vraag ik.

'Een rugkrabber,' zegt ze. 'Van Karel, mijn man. Dat vond hij lekker, zijn rug krabben. Totdat hij ziek werd. Op het laatst deed ik het, met dat ding. Urenlang.'

Ik kijk naar Wiwi die de stapeltjes op het bed legt. Het grote bed voor twee mensen. Daar sliep zij, met Karel haar man. Maar nu niet meer. Toch liggen er nog twee kussens. Elke avond stapt zij in het grote bed en dan ligt er niemand op dat kussen. Ik word er een beetje koud van.

'Wat ben je stil,' zegt ze na een tijdje.

'Ik kijk,' zeg ik.

'Waarnaar?'

'Naar jou en de stapels en de lijst.'

'Ja,' zegt ze en grinnikt een beetje. 'Anders vergeet ik de helft.'

Ze loopt naar de wastafel, pakt er spullen van af en doet ze in een toilettas.

'Hoe laat ga je?' vraag ik.

'Om vijf uur word ik opgehaald door mijn broer. Dan rijden we naar Schiphol.'

'Waar is Saar?'

Wiwi trekt haar schouders op.

'Ik wil wel dat ze er is als u weggaat.' Ik pak de rugkrabber, steek hem achter bij mijn hals in mijn T-shirt en krab mijn rug.

'Ze komt zo wel, denk ik. En anders komt ze straks, maak je geen zorgen, jongen.'

Ik krab nog steeds over mijn rug. 'Lekker ding,' zeg ik. 'Mag het eigenlijk wel?'

'Ja. Hou hem maar.' Ze klapt de deksel van de koffer dicht en wil hem dichtritsen.

Dan bedenkt ze zich.

'Is er nog iets?' zegt ze. 'Een verhaal, een heel diepe zucht, of moet het geheimenpotje komen?'

Zal ik het vragen? Er is nu niemand. Geen ander kind dat op de poes past. Niemand die Wiwi uitzwaait.

Wiwi loopt naar een kastje in de hoek van de grote slaapkamer en pakt er iets uit. Een klein zakje van stof. Ze komt bij me zitten en maakt het zakje open.

'Als je hier nu eens je zorgen in blaast,' zegt ze, 'dan knoop ik het buideltje dicht, neem het mee op reis en schud het aan de andere kant van de wereld leeg. Ben jij ervan af.'

Ze geeft het zakje aan mij. Moet ik erin blazen? Dan kan ik het ook wel vragen.

'Zijn er nog meer kinderen op drumles?'

Wiwi zet haar ellebogen op tafel en doet haar handen voor haar mond. Zo blijft ze me een tijdje aankijken. Dan schudt ze haar hoofd. 'Nee, jij bent mijn enige echte.'

Ze staat op, kijkt op haar horloge en loopt weer naar de koffer.

'Maar misschien,' zegt ze, 'wil ik er volgend jaar wel meer.'

Ineens ploft ze naast de koffer op het bed. 'Verdikkie,' zegt ze. 'Nu moet ik bijna janken. Maar dat doe ik niet. Geef me dat zakje eens.'

Ik sta op en geef haar het vilten buideltje. Ze maakt het open, zucht erin, vouwt het dicht, staat op en stopt het onder in de koffer. Dan ritst ze de koffer dicht.

'Zo,' zegt ze. 'Weg ermee. Als ik op het andere halfrond ben, kieper ik het zakje met ellende leeg, in de zee, of in een vuilnisbak. Doei, dag, weg.' Ze tilt de koffer op en zet hem op de grond.

'Ik moet gaan,' zegt ze. 'Het is tijd.'

Ik sta op, til de koffer op en sjouw hem de trap af. Saar komt ons miauwend tegemoet.

De bel gaat een paar keer achter elkaar.

'Klaas, mijn broer,' zegt Wiwi. Ze grinnikt. 'Hij is doof, en heeft eindelijk een gehoorapparaat. Maar blijkbaar staat dat ding nog niet goed afgesteld.'

Beneden in de gang staan we stil.

‘We gaan,’ zegt Wiwi. Ze pakt mijn hoofd vast en geeft een kus op mijn haren. ‘Je bent een sterk kind, onthoud dat goed. Beresterk.’

Ik weet niet zo goed wat ik zeggen moet. ‘U ook,’ zeg ik maar.

Ze knikt. ‘Ja, ik ook.’

De bel gaat nog een keer. Hij dingdongt hard door de gang.

‘Tot over een paar weken. Dan gaan we weer verder.’

‘Waarmee?’ vraag ik.

‘Met drummen en de geheimen.’

‘Nee hoor,’ zeg ik. ‘Nu zijn ze echt op. Helemaal op. En nu gaat u weg. Doei, dag, weg!’

Ik pak Saar op. We gaan naar buiten. Klaas neemt de koffer en Wiwi sluit de voordeur. We lopen naar de auto en met het beest in mijn armen zwaai ik haar uit. Totdat ze de hoek om is. Echt, helemaal weg.